鹿児島大学島嶼研ブックレット

20

TOUSHOKEN BOOKLET

琉球列島の河川に生息するゴカイ類

佐藤正典 著
SATO Masanori

●目次●

琉球列島の河川に生息するゴカイ類

Nereidid Polychaetes Inhabiting Rivers in the Ryukyu Islands

Sato Masanori

目 次

I　はじめに

汽水域は、陸と海の境界に位置しており、淡水と海水が混じり合っている所です。ここでは、潮汐による海水の動きや川の水量の増減に応じて塩分や水温が大きく変動します。また洪水などによって物理的な撹乱も受けやすい場所です。したがって、水生生物にとっては、環境ストレスが大きい「過酷な生息場所」と言えます。多くの淡水産種や海産種は汽水域に住むことができません。しかし、ここには、河川や地下水の流入を通して、陸から豊富な栄養分（チッソやリンの無機栄養塩や分解途上の有機物）が供給されています。汽水域の過酷な環境に適応できた生物は、この資源を独占し、大増殖することができます。

実際に、汽水域では、特定の種の貝（ウミニナ類など）やカニ（シオマネキ類など）の大集団が干潟の表面を占有している様子をよく見かけます。汽水域の生態系では、比較的少数の「汽水産種」が高い生物生産力を維持しており、それによって、汽水域が「陸と海をめぐる栄養物質の循環」の要になっています(図1)。ゴカイ類もこの汽水域生態系の主要なメンバーです。たとえば、有明海奥部の汽水域では、ゴカイ類の一種だけで現存量（湿重量）が一㎡あたり一㎏以上に達す

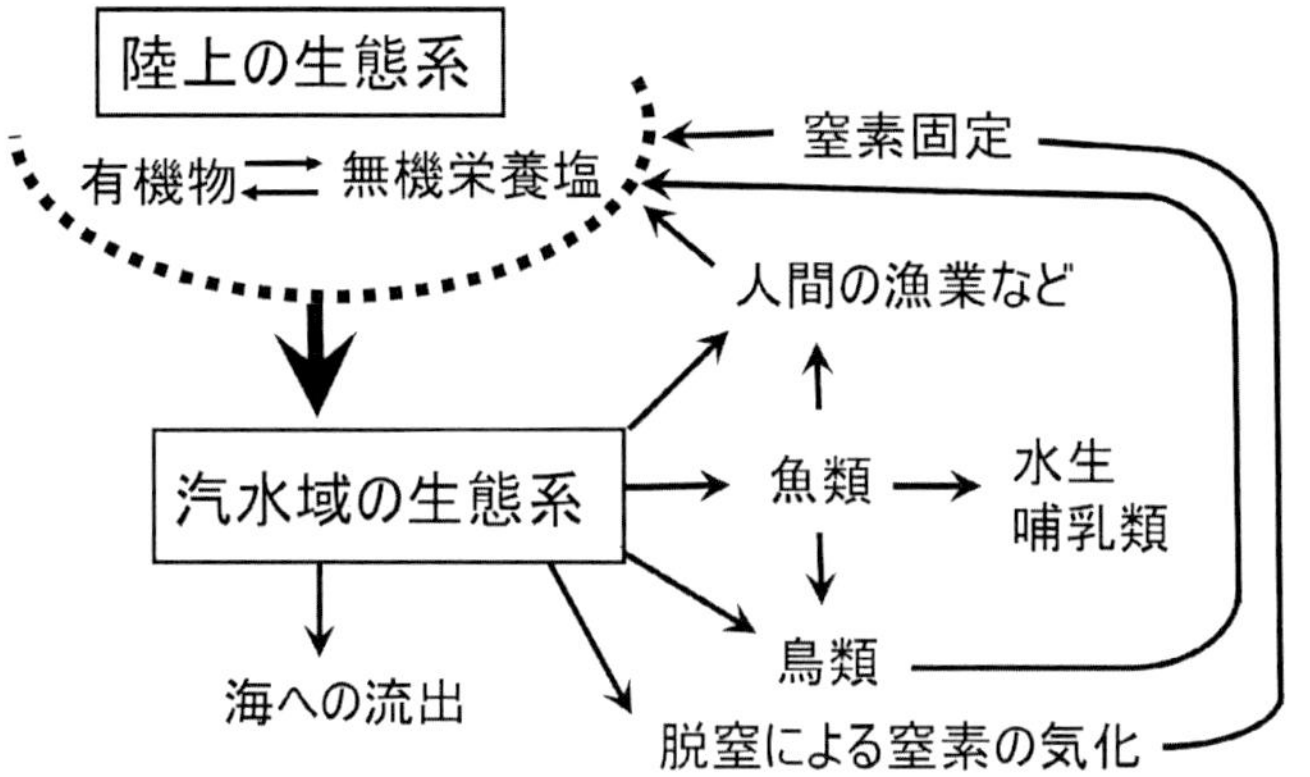

図1　陸と海をめぐる栄養物質（チッソやリン）の循環．汽水域の干潟生態系が要になっている．

る所も珍しくありません。これらのゴカイたちは、底泥の表面に堆積する様々な餌を飲み込んで、大きく成長します。それを沖合からやって来る魚や空から飛来する鳥が食べているのです。

このようにして、汽水域特有の少数の種が大増殖してくれるおかげで、陸から海に流入する栄養分の多くが汽水域で吸い取られ、そこで吸収された栄養が食物連鎖を通して陸や海の生物をも養っているのです。また、この一連の過程は、海域の富栄養化に伴う赤潮や海底の貧酸素化などの問題を抑制する「水質浄化作用」としても機能しています。その働きは、人工的な下水処理場では代替できない高性能なものです。

私は、一九七八年に大学院の学生として、青森市の郊外にある東北大学の浅虫臨海実験所の所属になり、そこでたまたま、発生学の研究材料としてゴカイ類を選びました。特にゴカイが好きだったというわけではなく、ゴカイを研究する人があまりおらず、わかっていないことが多いというのが、その理由でした。発生学の材料としては、珍奇な種ではなく、いつでもどこでもたくさん採集できる種（普通種）が好都合です。こうして、日本各地の汽水域で最も普通に見られるゴカイ科の二種、「ゴカイ（当時の和名、後にカワゴカイ属三種を含むことが判明）」とイトメが最初の研究対象となりました。一九八三年の鹿児島大学赴任以降は、研究の軸足を分類学に移し、日本最大の干潟をもつ有明海をはじめ韓国、タイ、マレーシアを含む国内外のあちこちのゴカイ類を調べてきました。

琉球列島の島々の小さな汽水域の面白さに気付いたのは最近のことです。ここでは、これまで見たことがない種が見つかりました。また、ここは、私にとって昔から馴染み深いカワゴカイ属の種とイトメの分布南限の地でもあります。本書では、これらの種についてのこれまでの研究を紹介しながら、ゴカイという生物の魅力やそれを研究する面白さをお伝えしたいと思います。また、これらのゴカイの生息場所である小さな汽水域の大切さも多くの人に知っていただきたいと思います。

II　ゴカイとはどんな生き物か

1　環形動物の分類体系

環形動物は、蠕虫状《ぜんちゅう》の無脊椎動物であり、海にも川にも陸上にも、様々な種が生息しています。一般に、体はたくさんの節（体節）で構成されていますが、体節構造を失ったものもおり、形態はきわめて多様です。

かつての分類体系では、環形動物門は、多毛綱、貧毛綱、蛭綱《ひる》の三つの綱に分けられていました。多毛綱は、いわゆる「ゴカイ」の仲間で、主に海産ですが、一部の種が汽水域や淡水域に生息しています。貧毛綱は、いわゆる「ミミズ」の仲間で、陸産または淡水産の種が多く知られています。蛭綱は、いわゆる「ヒル」の仲間で、寄生性の種も多いです。貧毛綱と蛭綱は、共に環帯という生殖器官をもつなどの類似点が多いために、両者を合わせて環帯類と呼ばれています。

近年、ＤＮＡの解析に基づく分子系統学のめざましい発展に伴い、環形動物のこれまでの分類体系が大きく見直されつつあります（図２）。分子系統解析によって、環帯類（貧毛綱と蛭綱）

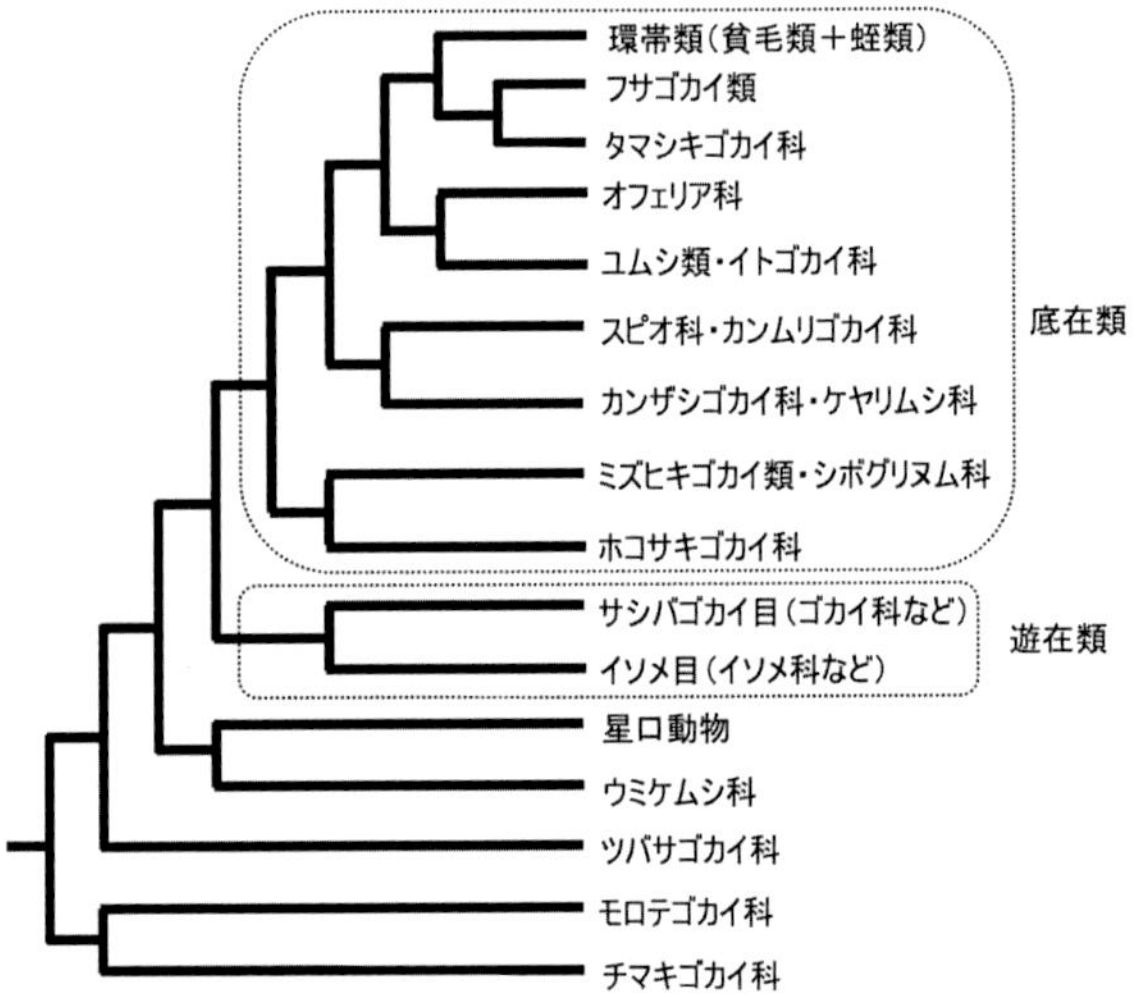

図２　環形動物門内の関係を示す系統樹．吸口虫類を除いた解析結果．Weigertetal (2014) を改変．

が多毛綱の系統内に含まれることが明らかになり、また、従来、環形動物とは別門として扱われていた星口動物、ユムシ動物、ハオリムシ類を含む有鬚《ゆうしゅ》動物も多毛綱の系統内に含まれることが明らかになりました。すなわち、多毛綱は、単系統群ではなく、多系統群である可能性が高いということです。

　これらの新知見を踏まえて綱や目の高次分類群をどのように再編するのかについてはまだコンセンサスが得られていないので、現在、多くの研究者は、個々の種が所属する分類群の名称を表記する場合に、「環形動物門」の後に、綱の名称は表記しないで、科名を続けています。ただし、従来の

「多毛綱（Polychaeta）」のメンバーを意味する「多毛類（polychaetes）」という一般名詞は、他の非単系統群である「魚類」や「爬虫類」と同様に、今も便利な言葉としてよく使われています。「ゴカイ（類）」という言葉は、多毛類全体の意味で使われることもありますが、本書では、多毛類の中の「ゴカイ科」に属する種に限定して用います。

2　多毛類の特徴

多毛類は、海域を中心に、これまでに世界から約一二〇〇〇種が知られており、それらは九四科に分類されています。日本からは一〇〇〇種以上が記録されています。

多毛類の体は、通常は体節構造が明瞭で、各体節の左右に一対の疣足《いぼあし》（肉質の足）をもち（図3）、そこに様々な形の剛毛が生えています（図4）。多くの種は海底の砂泥中に潜って生活しているために、あまり目立ちませんが、干潟から深海に至るまでのほとんどあらゆる海底において、貝類（軟体動物）や甲殻類（節足動物）と並んで、もっとも現存量の大きな底生動物のグループの一つであり、生態系の中でとても大きな役割を果たしています。

以下では、多毛類の中の一つの科である「ゴカイ科」に焦点を絞ります。

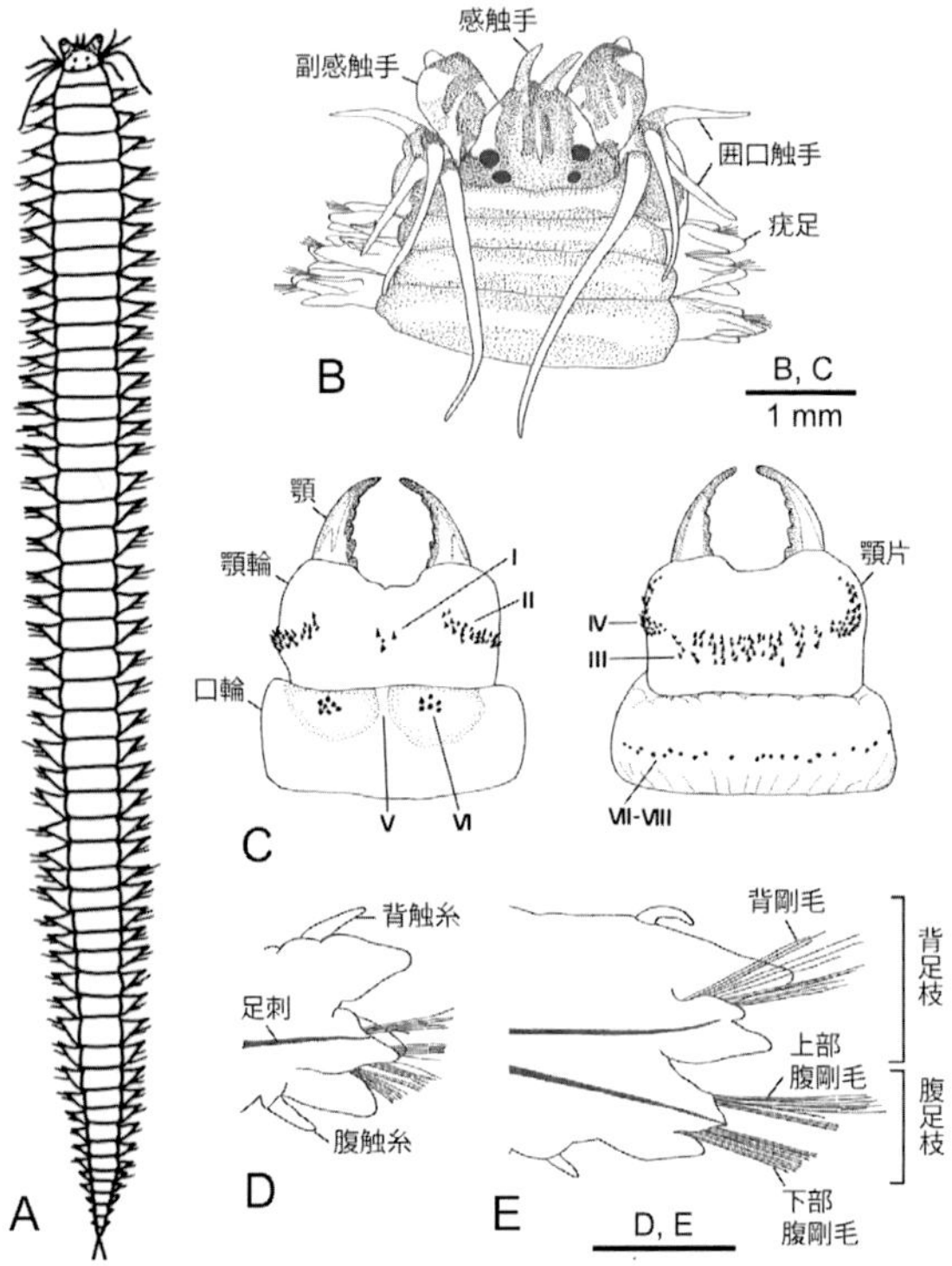

図 3 環形動物多毛類（ゴカイ科）の形態 . A: 体の全体（背面）の模式図 , B–E: ヒメヤマトカワゴカイ ; B: 頭部の形態 , C: 翻出した吻の背面（左）と腹面（右）. 吻は，普段は反転して口の中に収納されている . D: 第 1 剛毛節の疣足 , E: 体中部の疣足 .

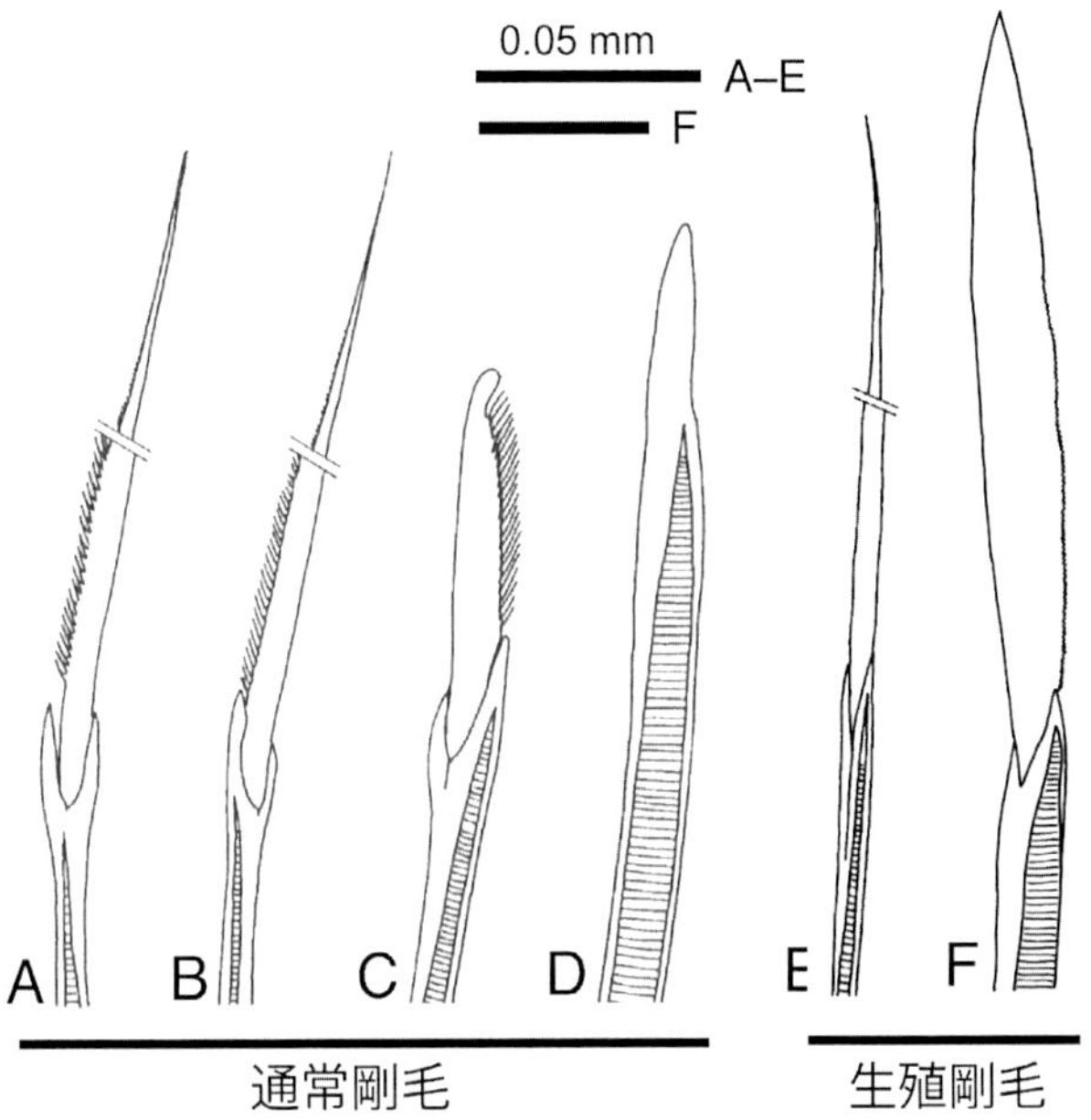

図4　環形動物多毛類（ゴカイ科）の剛毛の形態 . A–D: ヒメヤマトカワゴカイの通常剛毛；A: 関節部対称型（homogomph）の針状剛毛 , B: 関節部非対称型（heterogomph）の針状剛毛 , C: 関節部非対称型の短複剛毛 , D: 単一剛毛 . E: ヤマトカワゴカイの非ヘテロネレイス型の生殖剛毛 . F: イトメのヘテロネレイス型の生殖剛毛 . 佐藤 (2016b) を改変 .

3　ゴカイ科―汽水・淡水域の代表的な多毛類

世界全体からはこれまでに少なくとも四〇属以上、五〇〇種以上のゴカイ科多毛類が知られています。それらは、深海を含むあらゆる深度の海域から見つかっていますが、陸と海の境界領域である汽水域や淡水域にも多くの種が生息していることが特筆されます。Glasby et al.（2009）によれば、非海洋性（すなわち汽水・淡水産）の多毛類全体（二六科七八属一九七種）の中で最多の種数（六一種）を占めているのがゴカイ科です。すなわち、ゴカイ科は、陸に住む人間の生活圏に一番近いところで最も普通に見られる多毛類であり，魚釣りの餌として、あるいは農地の肥料や人々の食料としても（後述）、昔から人々に利用されてきました。

これまでに日本国内からは、二一属五七種のゴカイ科が記録されています。

【コラム1】汽水域と塩分の定義

本書では、河川の河口周辺（河口の外側もある程度含みます）から大潮満潮時の海水侵入限界までの範囲を「汽水域」と定義します（図5、6）。ここでは、陸から流下する淡水と潮汐に伴って一定の上下運動を行っている海水（塩水）とが様々な程度に混じり合っており、塩分や水温と

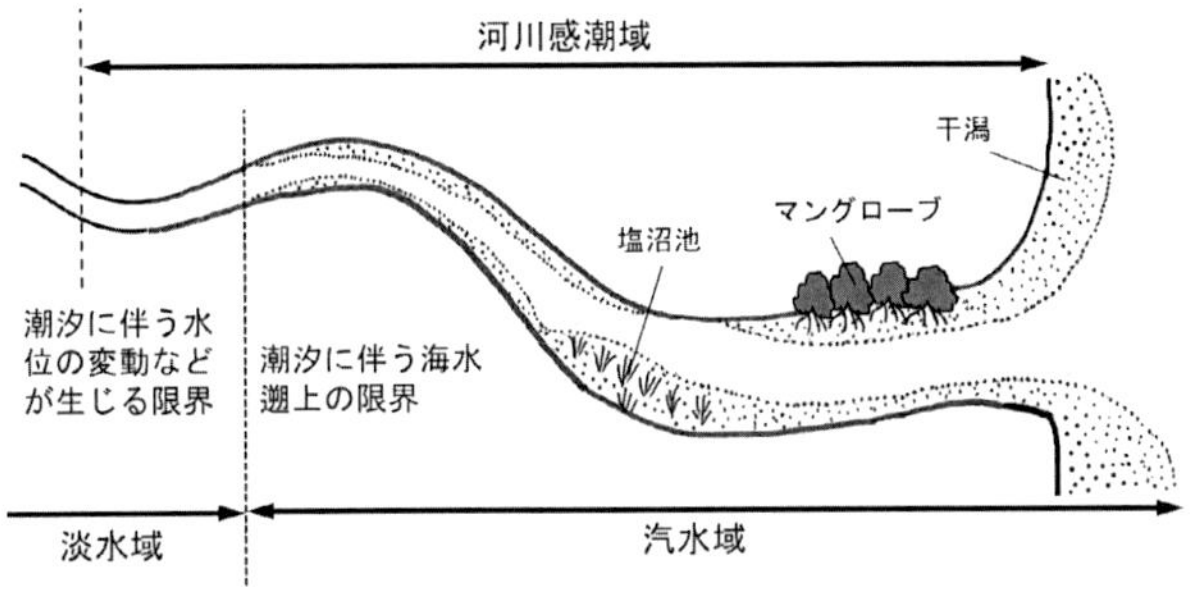

図5 河川の汽水域の模式図.

図6 加計呂麻島, 西安室, 山田川の河口周辺の汽水域.
2020年7月4日夕方の干潮時 (A) と翌朝の満潮時 (B). 川の上流から下流を見た眺め.

いう生物にとって重要な環境因子が、周期的に変化するという特徴があります。このような水域は、英語では「Estuary（エスチャリー）」と呼ばれており、日本語では「河口域」と翻訳されることも多いのですが、それでは河口周辺の狭い範囲しかイメージされないかもしれないので、ここでは「汽水域」と呼びます。

汽水とは、淡水（塩分〇・五以下）と海水（塩分約三五）の間の広範囲の塩分の状態の水を意味しています。塩分とは、水中に溶解している全塩類（主にナトリウムイオンと塩素イオン）の濃度を意味しており、元々は千分率（水一〇〇〇g中の塩類のg数）で表記し、その単位としては、‰（パーミル）やppt（part per thousand）が用いられてきました。しかし、近年では、水の電気伝導度を測定することで近似的に求め、その数値を実用塩分（practical salinity）として表記するのが普通になっています。実用塩分には単位を付さないことになっていますが、「これは実用塩分ですよ」という意味で、psu（practical salinity unit）という語を数値の後ろに付けることもあります。

さて、汽水域を流れている水は、常に汽水というわけではありません。たとえば、汽水域の最上流部（淡水域との境界付近）では、通常は淡水が流れていて、毎月二回の大潮の時期に限って、満潮時に遡上する海水が到達して汽水の状態になります。その場合の汽水の塩分は、河川の状況

（川を遡上する海水の量とそれを希釈する淡水の流量など）によって大きく異なります。外洋に面した急勾配の小さな河川の場合は、淡水の希釈効果が小さいために、満潮時には河口周辺が（場合によっては汽水域全体が）ほぼ純粋な海水に覆われることもあります。

汽水域では、河川と海の両方から砂泥粒子が供給されるために、潮間帯にそれらの砂泥粒子が堆積して干潟が発達しやすいという特徴があります。干潟の陸に近い部分には、ヨシなどの塩生植物が繁茂しており、そこは塩沼地《えんしょうち》と呼ばれています。また、熱帯・亜熱帯の河川にはマングローブ（ヒルギ類やニッパヤシなどの耐塩性を備えた樹種によって形成される水辺の樹林）も存在します。琉球列島は、マングローブの自然分布の北限の地です。

汽水域と混同されやすい言葉として「河川感潮域」があります。河川感潮域とは、河川の内部において、潮汐に伴って河川水の水位や流速が周期的に変動する場所を意味しており、傾斜の緩やかな河川では汽水域だけでなくそれに隣接する淡水域の一部も含まれます。

4　ゴカイ科の生殖様式

すべてのゴカイ科の種は生涯一回生殖（生殖後に死ぬ）という特徴をもち、大部分の種は雌雄異体です。多くの種では、生殖時期に多数の成熟個体が同調して水中に泳ぎ出る行動様式（生殖群泳）が知られており、群泳中に卵と精子が水中に放出され、そこで受精が起こります。多くの場合、生殖群泳中の成熟個体（生殖型 epitoke、図7）の形態は、未成熟個体（非生殖型 atoke）とは大きく異なります。この形態変化のことを生殖変態（epitokous metamorphosis）と呼びます。多くの海産種の生殖型は、別種間でもある程度共通した以下の特徴を備えており、「ヘテロネレイス型」と呼ばれています。①目が大きくなる。②体壁が薄くなり、体腔中に充満した卵（緑または黄）または精子（白）の色が透けて見える。③体全体が二つまたは三つの部分に分かれ、体後部または体中部において、疣足と剛毛の顕著な変化が起こる。④疣足の足葉の著しい拡大と変形が生じ、新たな足葉が追加される。⑤通常の剛毛（図4A—4C）がすべて（または大部分）幅広い橈（オール）状の遊泳剛毛に置き換わる（図4F）。

この生殖変態では、生殖型の遊泳能力が著しく増大します。すなわち、「ヘテロネレイス型」への変態は、生殖型が高速で泳ぐことによって魚などに捕食されにくくなり、それによって水中

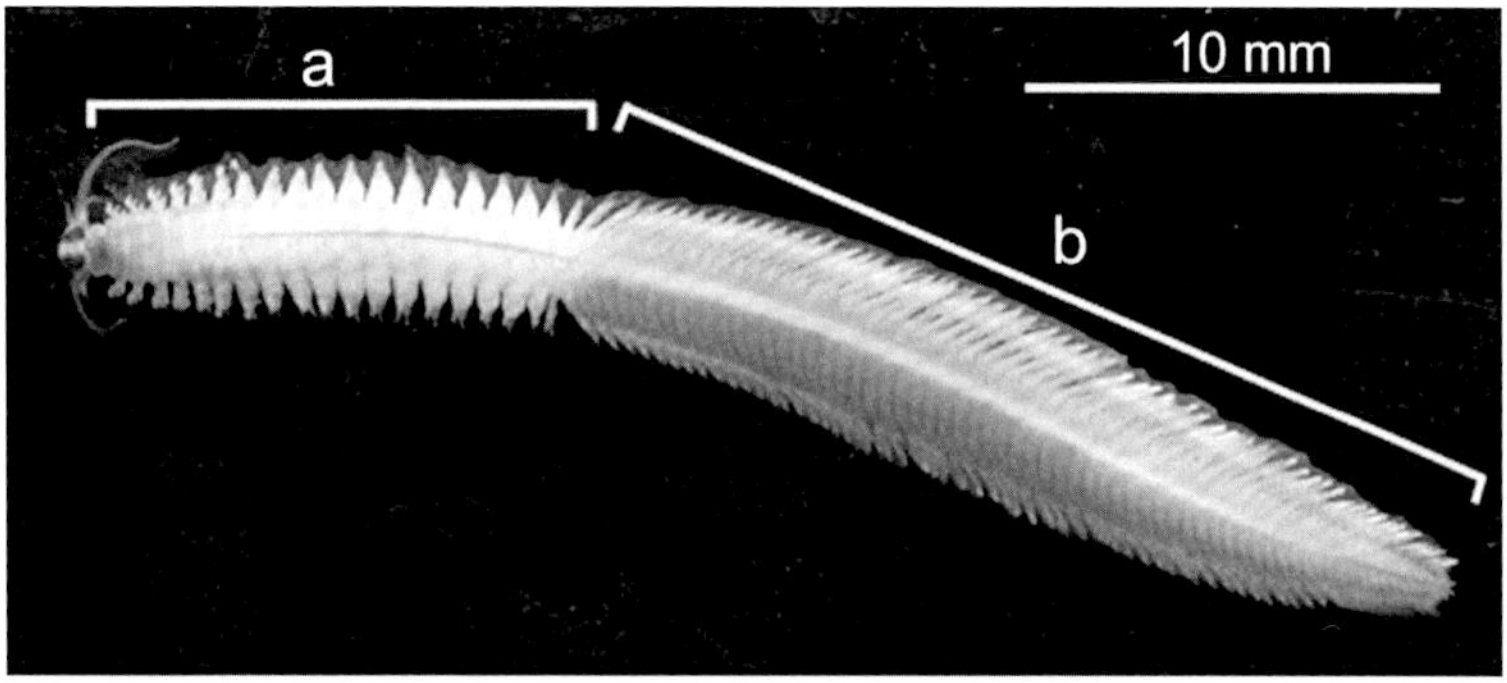

図7　海産種ツルヒゲゴカイ *Platynereis bicanaliculata* (Baird, 1863) の生殖型．体が体前部 (a) と体後部 (b) に分かれ，典型的な「ヘテロネレイス型」の生殖型に変態している．清本正人撮影．佐藤 (2016b) より引用．

での産卵と受精の成功率が高まるという適応的意義があると思われます。

日本産ゴカイ科多毛類五七種のうち生殖様式がわかっているものは、三二種ですが、そのうちの二六種（八一％）が典型的な「ヘテロネレイス型」への生殖変態を行います。これらは大部分が海産種です。汽水域に生息する種では、「ヘテロネレイス型」とは異なるタイプの生殖変態を行うものや生殖変態を全く行わないものなどが知られています（後述）。

III　ゴカイ類の生息場所としての琉球列島の河川

1　南西諸島の中の琉球列島

琉球列島と南西諸島の関係については、本書では、太田ら（2015）などに従って、以下のように定義します。琉球列島とは、九州南西部から台湾にかけて弧状に並んでいる島々のことであり、具体的には、北から順番に鹿児島県の大隅諸島、吐噶喇《トカラ》列島、奄美群島、沖縄県の沖縄諸島、宮古諸島、八重山諸島が含まれます（図8）。

琉球列島の大陸側の東シナ海には、列島に沿って大陸棚の辺縁部の海底の窪み（海盆、最大水深は約二二〇〇m）が存在し、沖縄トラフと呼ばれています。沖縄トラフをはさんで大陸棚上に位置しているのが尖閣諸島です。

一方、琉球列島の太平洋側には、最大水深約七五〇〇mの琉球海溝がはしっています。琉球海溝をはさんで太平洋のフィリピンプレート上に位置しているのが大東諸島です。

以上の琉球列島、尖閣諸島、大東諸島をすべて含めた領域を南西諸島と呼びます。このうち、

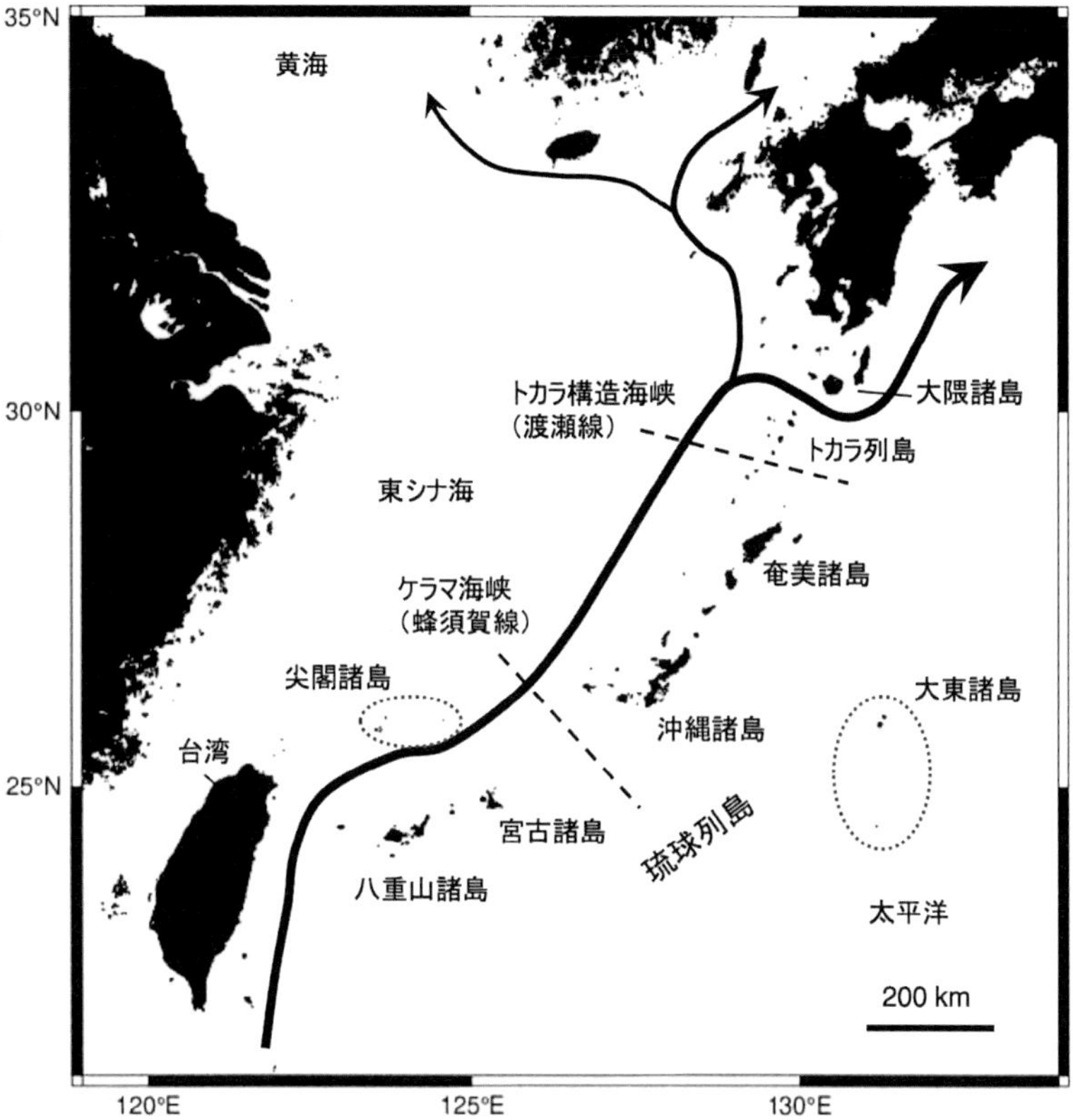

図８　琉球列島とその周辺の地理．矢印は黒潮の流れを示す．太田ら（2015）と茶園・市川（2001）に基づいて作図．

琉球列島と尖閣諸島は、かつてはユーラシア大陸の辺縁部だった陸地が、その後の地殻変動によって島嶼化した「大陸島」です。一方、大東諸島は、ハワイ諸島やガラパゴス諸島などと同様に、これまで一度も大陸とつながったことがない「海洋島」です。

2　黒潮に洗われている琉球列島

琉球列島の近傍には、西太平洋の代表的な暖流である「黒潮」が流れています（図8）。黒潮の本流は、幅約一〇〇km、最大流速毎秒二m以上の強大な流れで、赤道の北側を西に流れる北赤道海流を起源とし、フィリピンの東方海域を北上し、台湾と与那国島の間を通って東シナ海に入り、琉球列島の西側に沿って北上し、屋久島の南西で向きを東に変えて列島を横切り、太平洋に出た後は再び北に向かって流れます。この黒潮によって多くの熱帯性の水生生物が分布を北方に広げています。そのため、琉球列島は、熱帯の水域に特有のサンゴ礁やマングローブ（自然分布）の分布北限となっています。

3　琉球列島の三つの区分

琉球列島は、北琉球、中琉球、南琉球の三つに区分されています（図8）。北琉球には、九州南端からトカラ構造海峡（生物地理学において「渡瀬線」と呼ばれているトカラ列島の悪石島と小宝島の間）までの大隅諸島とトカラ列島北部が含まれます。中琉球には、トカラ構造海峡からケラマ海峡（生物地理学において「蜂須賀線」と呼ばれている沖縄諸島と宮古諸島の間）までのトカラ列島南部、奄美群島、沖縄諸島が含まれます。南琉球には、ケラマ海峡から台湾までの間にある宮古諸島と八重山諸島が含まれます。

陸産の爬虫類や両生類については、北琉球は、九州との共通性が高く、南琉球は、台湾や大陸東岸との共通性が高いこと、そして中琉球には「遺存固有種」（かつては広域分布していた種の末裔が、ごく限られた生息地にのみ生き残っている状態の固有種）が多いことが知られています。

4　琉球列島の河川に生息しているゴカイ類九種

温暖で湿潤な気候に恵まれた琉球列島では、年間降水量が二〇〇〇㎜を超えています。このため島には大小多くの河川が存在します。透水性の高いサンゴ礁起源の琉球石灰岩に覆われた島では、石灰岩に染み込んだ雨水が地下水となり、その一部が海岸近くで湧出し、名もない小川となって海に注いでいることがあります。そのような小さな川でも、淡水が枯れることなく安定して流れ続けるならば、汽水・淡水産のゴカイ類が住み着くことができます。

琉球列島の河川（汽水・淡水域）からは、これまでに種名未確定種も含めて九種のゴカイ科多毛類が見つかっています（表1）。このうち、イトメとヒメヤマトカワゴカイは、日本国内に広く分布し琉球列島が分布南限となっています。一方、ハワイマミズゴカイ（新称）とトカシキナガレゴカイの二種は、西太平洋熱帯域に広く分布する種であり、南九州または琉球列島が分布北限になっています。クメジマナガレゴカイは、現時点では琉球列島の固有種です。サミドリゴカイは南九州から琉球列島にかけて分布しています。汽水域の下流部（河口の周辺）に生息しているスナイソゴカイとコケゴカイについては、温帯から熱帯までの広い分布が知られていますが、それらが本当に単一種なのかどうか今後の検討が必要です。

以下の章では、この中の三つの種（種群）について、詳しく紹介します。

表1　琉球列島の河川（汽水・淡水域）からこれまでに見つかっているゴカイ科7属9種

学名 [和名]	国内分布	出典
Namalycastis 属		
N. hawaiiensis (Johnson, 1903) [ハワイマミズゴカイ（新称）]	南九州、琉球列島	Glasby (1999), 菅・佐藤 (2018), 佐藤ら（未発表）
N. sp. 1*	琉球列島	菅・佐藤 (2018)
Tylorrhynchus 属 [イトメ属]		
T. osawai (Izuka, 1903) [イトメ]	北海道から琉球列島まで	Imajima (1972), 今島 (1996), 佐藤ら（未発表）
Perinereis 属 [イソゴカイ属]		
P. mictodonta (Marenzeller, 1879) [スナイソゴカイ]	北海道から琉球列島まで	Imajima (1972), 今島 (1996), 佐藤・坂口 (2016), Tosuji et al. (2019)
Simplisetia 属		
S. erythraeensis (Fauvel, 1918) [コケゴカイ]	北海道から琉球列島まで	Imajima (1972), 今島 (1996), 山西・佐藤 (2007), 佐藤・坂口 (2016), Ueno et al. (2019)
Composetia 属		
C. kumensis Sato, 2020 [クメジマナガレゴカイ]**	琉球列島	佐藤 (2012), 佐藤・坂口 (2016), Sato (2020), Sato et al. (2020), Villalobos-Guerrero et al. (印刷中)
C. tokashikiensis Sato, 2020 [トカシキナガレゴカイ]**	琉球列島	佐藤・坂口 (2016), Sato (2020), Sato et al. (2020), Villalobos-Guerrero et al. (印刷中)
Hediste 属 [カワゴカイ属]		
H. atoka Sato and Nakashima, 2003 [ヒメヤマトカワゴカイ]	北海道から琉球列島まで	Sato & Nakashima (2003), 佐藤 (2004), 佐藤・坂口 (2016), Tosuji & Sato (2010), Tosuji et al. (2019)
Neanthes 属		
N. aff. *glandicincta* (Southern, 1921) [サミドリゴカイ]***	南九州から琉球列島まで	内田 (1990), 佐藤・坂口 (2016), 田中・佐藤 (2019), 佐藤ら（未発表）

* 種名未確定．
** クメジマナガレゴカイとトカシキナガレゴカイの2種は，Villalobos-Guerrero et al.（印刷中）によって新属に移される予定．
*** インドから記載された *Neanthes glandicincta* によく似た未記載種．

IV　ヒメヤマトカワゴカイの二型

1　北半球の温帯に広く分布するカワゴカイ属

カワゴカイ属（*Hediste*）は、北半球の温帯の汽水域に分布している種群であり、これまでに世界から八種が知られています（種名未確定種を含む、図9）。いずれの種も、成体は汽水域の干潟（または浅い潮下帯）の砂泥中に巣孔を作って生活しています。日本国内では、北海道から琉球列島に至るまで、本属の種が広く分布しています。汽水域の底生動物群集の優占種となっていることが多く、干潟で採食する渡り鳥や魚類の重要な食物になっています。

日本の種は、かつては単一種と考えられており、「ゴカイ（沙蚕）」という和名で図鑑に掲載されていました。しかし、一九八〇年代以降の研究を通して、それが単一種ではなく、形態的によく似た三種を含むことがわかり、その三種には次のような新たな和名が与えられました。アリアケカワゴカイ（有明川沙蚕、*H. japonica*）、ヤマトカワゴカイ（大和川沙蚕、*H. diadroma*）、ヒメヤマトカワゴカイ（姫大和川沙蚕、*H. atoka*）。いずれの種も、国外では朝鮮半島から記録さ

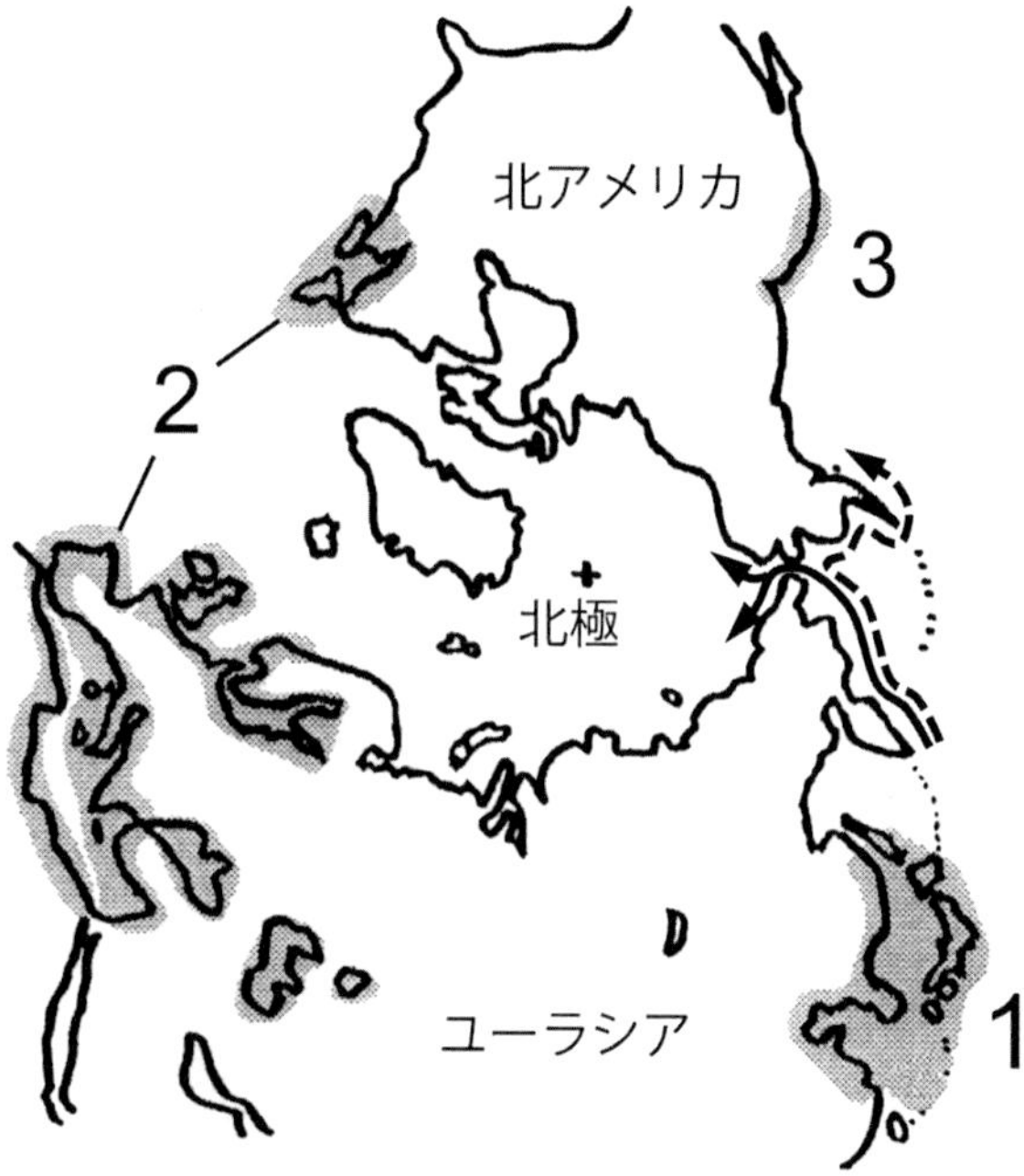

図 9　北半球の温帯の汽水域に分布するカワゴカイ属 8 種 . (1) 東アジアの 5 種：ヒメヤマトカワゴカイの A 型と B 型 , ヤマトカワゴカイ , アリアケカワゴカイ , *Hediste* sp.(韓国西岸に固有の未記載種). (2) 大西洋沿岸の 2 種：セイヨウカワゴカイ *H. diversicolor* の A 種と B 種 . セイヨウカワゴカイの祖先は温暖期に北極圏横断分散によって東アジアから北大西洋に入植したと推測される (実線の矢印). (3) 北アメリカ西岸の 1 種：タンスイカワゴカイ *H. limnicola*. タンスイカワゴカイの祖先は温暖期にベーリング海峡に沿って東アジアから北アメリカ西岸に入植したと推測される (破線の矢印).

れています。

この中で最も広い分布域をもつのがヒメヤマトカワゴカイで、北海道北部から琉球列島の石垣島まで、ほぼ日本中に分布しています。ヤマトカワゴカイも、比較的広い分布域をもち、北海道南部から九州南部まで分布していますが、琉球列島からは見つかっていません。アリアケカワゴカイは、これまでに本州と九州の四つの内湾（三河湾、伊勢湾、瀬戸内海、有明海）の泥干潟だけからしか見つかっておらず、有明海以外ではすでに絶滅したと考えられており、環境省（2017）によって絶滅危惧IB類に指定されています。

2　ヒメヤマトカワゴカイの生息場所と生活史

ヒメヤマトカワゴカイの成体は、最大体長約一〇㎝で、日本産の他の二種（最大体長約一五㎝）に比べてやや小型です（図10）。日本本土の大きな河川では汽水域内に広範囲に分布しており、しばしばヤマトカワゴカイと共存しています。琉球列島では、小河川の狭い範囲の汽水域に生息しているだけでなく、外海に面した干潟で、地下から伏流水が湧出している所に局所的に分布していることもあります。

ヒメヤマトカワゴカイは、汽水域内で一生を過ごす「汽水域内完結型」の生活史を持っていま

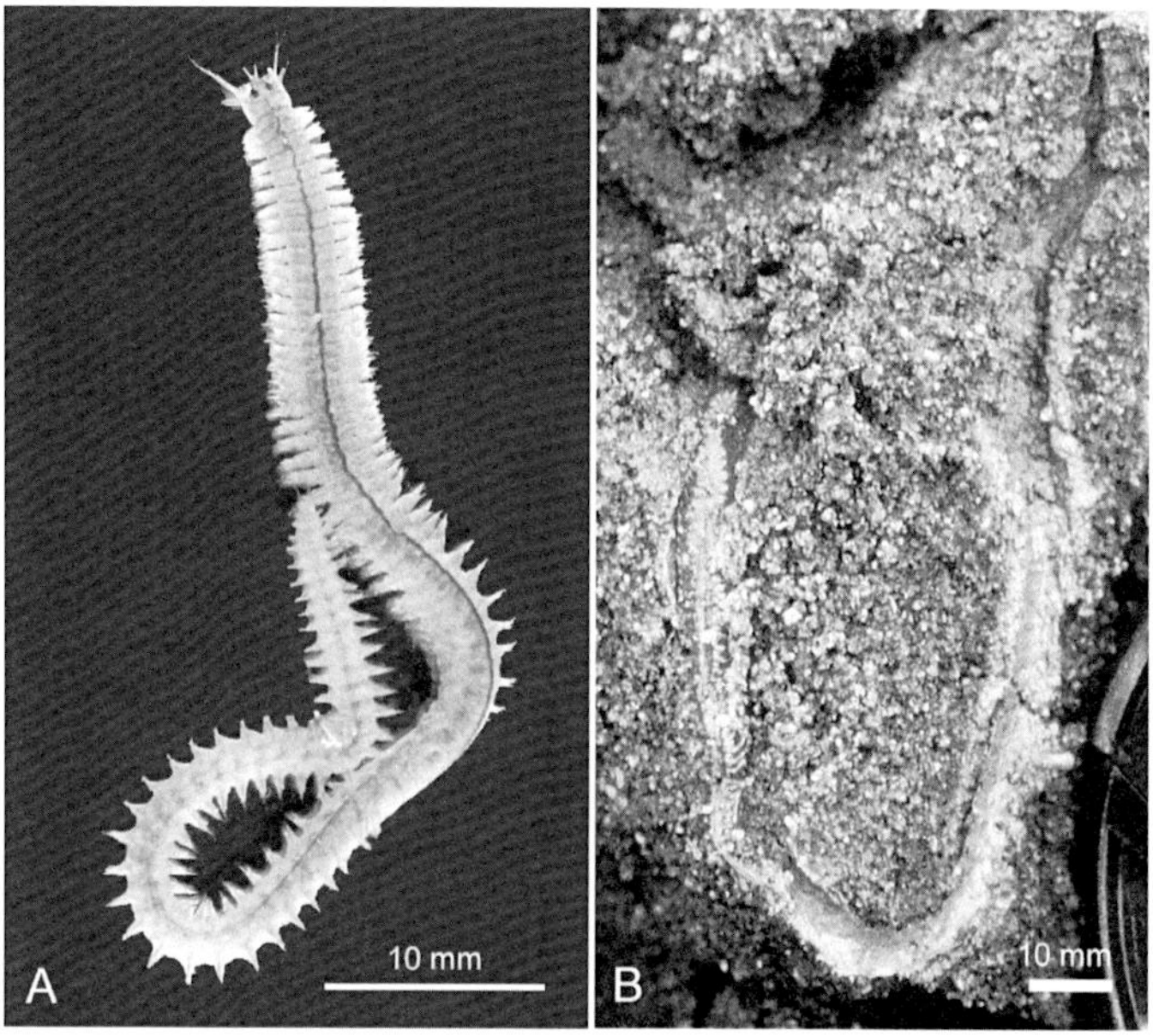

図 10　ヒメヤマトカワゴカイ . A: 生時の成体 , B: 干潟の砂泥表層の U 字形の巣孔の断面 .
1991 年 11 月 , 鹿児島市の甲突川にて .

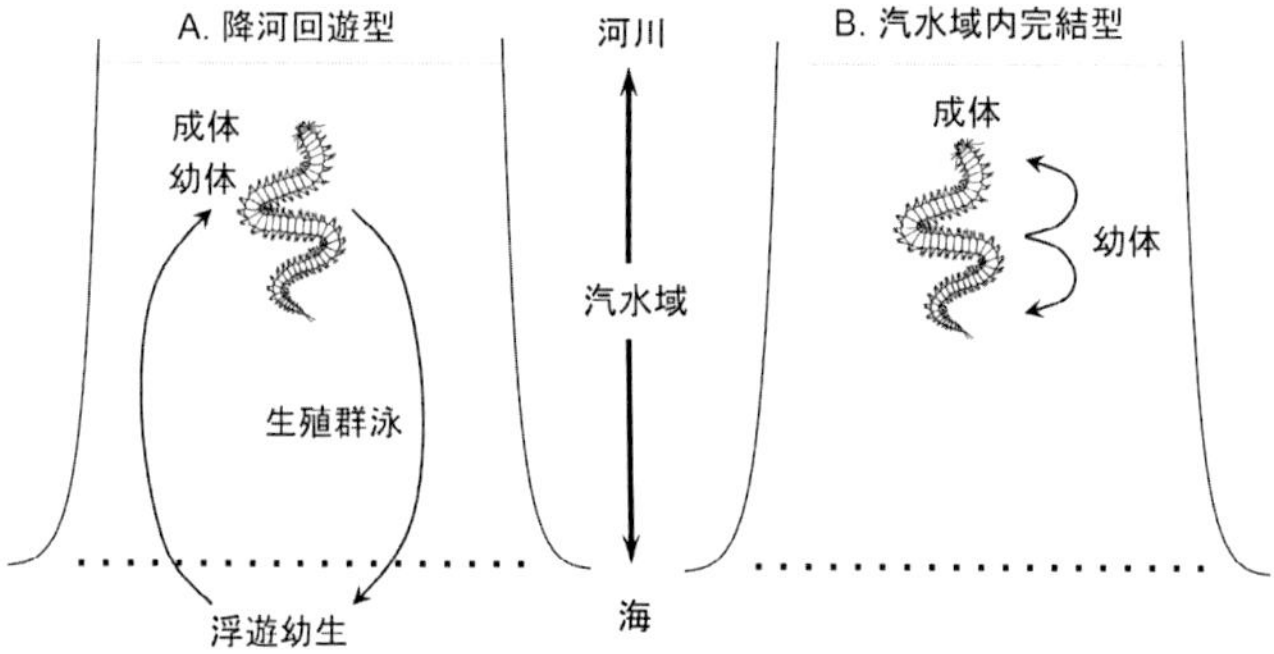

図 11　ゴカイ科の汽水産種の２つの生活史型 . A: 降河回遊型 , B: 汽水域内完結型 .
佐藤 (2016b) より引用 .

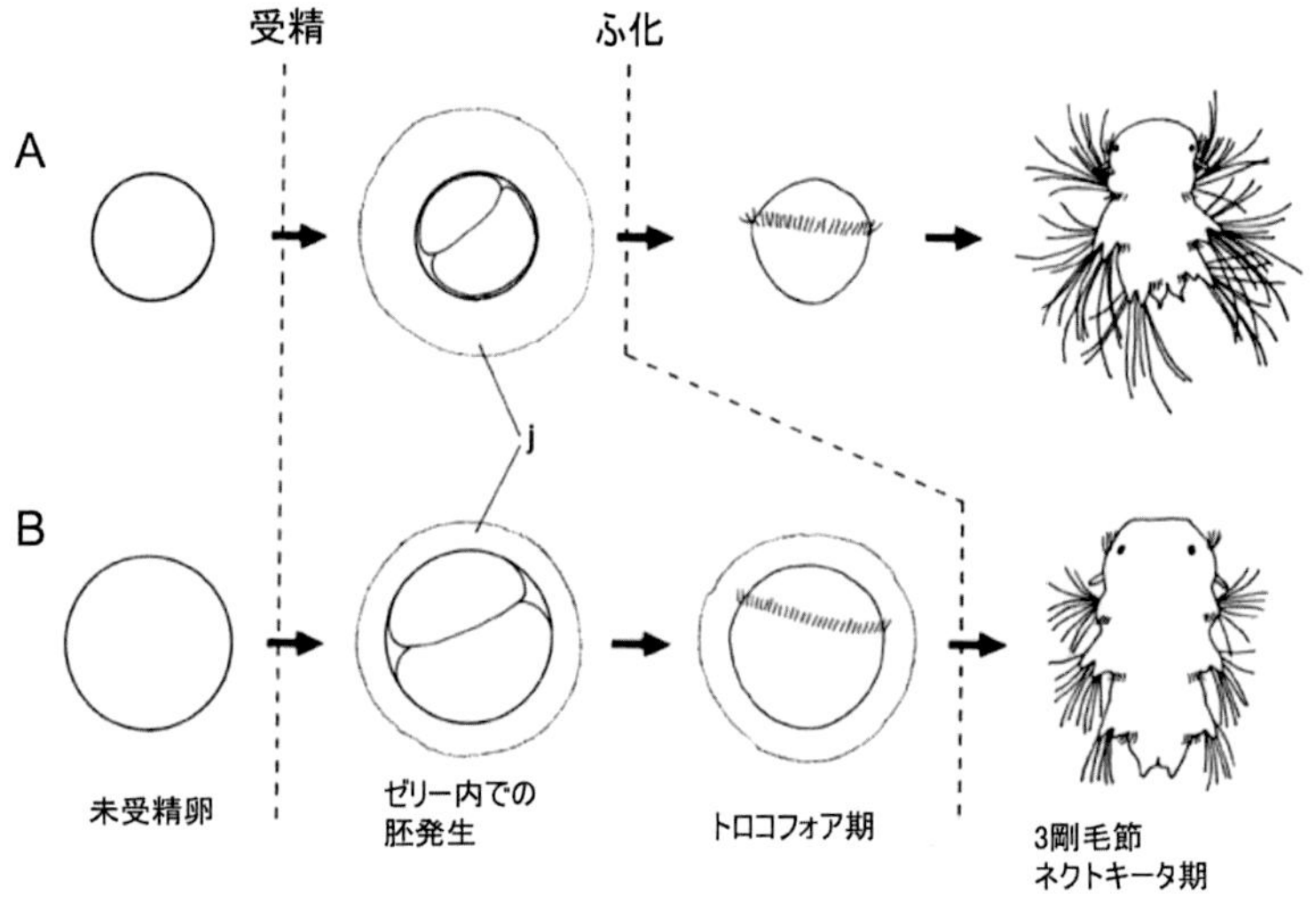

図12　ゴカイ科の汽水産種の２つの発生様式．A: 浮遊発生 (pelagic development). ヤマトカワゴカイ，アリアケカワゴカイ，イトメの発生様式．卵は比較的小さく（直径 200 μm以下），トロコフォア期で幼生が孵化し，幼生は一定期間，水中で浮遊生活を送る．B: 直達発生 (direct development). ヒメヤマトカワゴカイの発生様式．卵は比較的大きく（直径 200 μm以上），3 剛毛節ネクトキータ期で幼体が孵化し，すぐに底生生活に入る．浮遊幼生期がない．佐藤 (2006b) より引用．

す（図11B）。春と秋に生殖のピークがあり、寿命は約半年と考えられています。産卵行動の詳細はまだ不明ですが、雌は巣孔の内部またはその入り口の周辺に産卵し、そのまわりで雄が放精すると思われます。卵は比較的大きく（直径二〇〇―二五〇μm）、受精直後に卵のまわりに比較的固いゼリー層が形成され、そのゼリー層の中で胚が低塩分の環境下でも正常に発生することができます（図12B）。トロコフォア期の胚はゼリー層内に留まり、三剛毛節ネクトキータ期の幼体が、ゼリー層の外に出て（孵化《ふか》）、すぐに成体と同様の底生生活を行います。つまり、本種には水中で浮遊生活を行うプランクトン幼生期がありません。ただし、四剛毛節期以降の幼体が上げ潮時に水中を浮遊するので、汽水域内を広く分散することができます。

一方、九州以北に分布するヤマトカワゴカイは、汽水域と海域を一生の間に行き来する「降河回遊型」の生活史をもっています（図11A）。冬から春にかけて成熟した雌雄の個体は、大潮の夜の満潮直後に一斉に水中に泳ぎ出て、生殖群泳を行います。群泳個体は引き潮に乗って下流に運ばれ、河口周辺の海域で放卵放精を行い、そこで死にます（寿命は一年）。卵は比較的小さく（直径一三〇―一七〇㎛）、受精直後に卵のまわりに厚くて柔らかいゼリー層が形成され、その中で初期発生が進行します（図12A）。受精と初期発生のためには海水に近い高い塩分を必要とします。受精後約二日でトロコフォア幼生が孵化し、水中でプランクトンとして浮遊生活を始めます。その後、ネクトキータ幼生へと変態し、約一ヶ月間の浮遊生活の後に、五―八剛毛節期のネクトキータ幼生が上げ潮に乗って汽水域を遡上し、汽水域の干潟（成体の生息場所）に定着します。

3　ヒメヤマトカワゴカイの個体群間の遺伝的分化

「降河回遊型」の生活史をもつヤマトカワゴカイでは、海で浮遊生活を行うプランクトン幼生

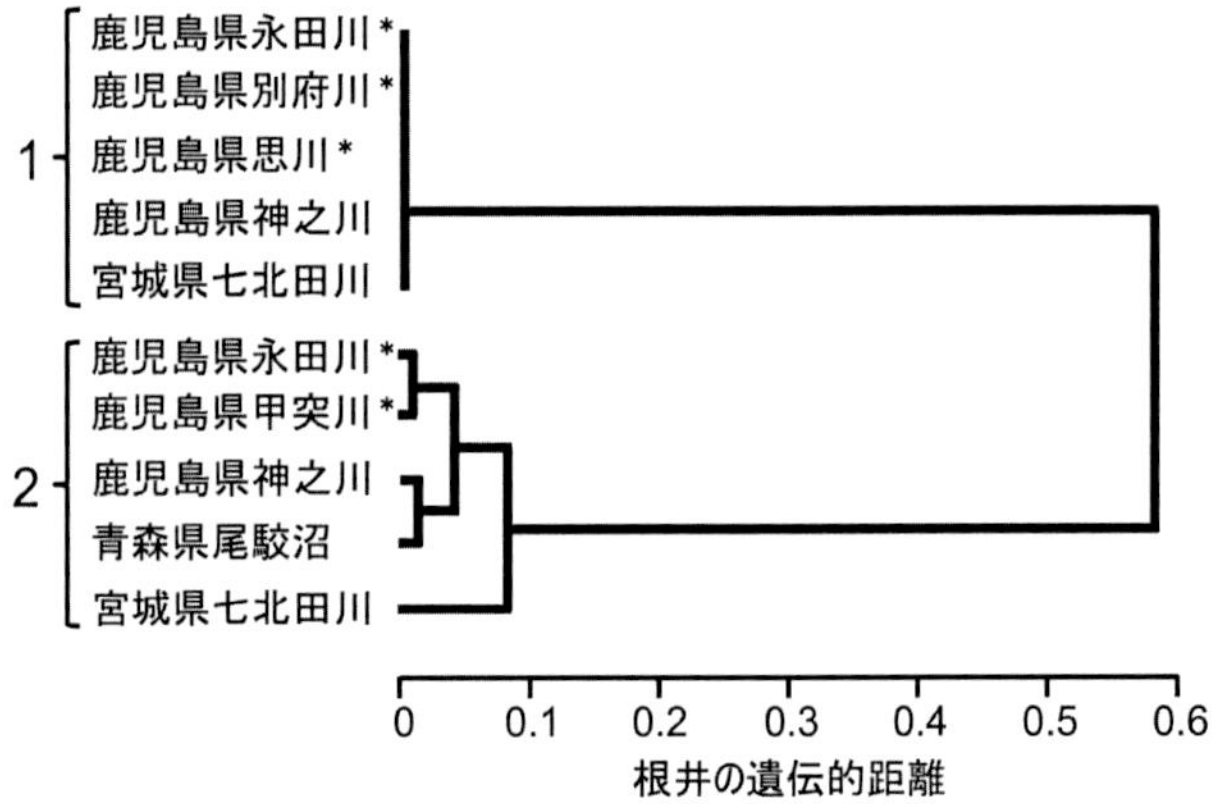

図 13　ヤマトカワゴカイ (1) とヒメヤマトカワゴカイ (2) の地域集団間の遺伝的分化 . 酵素タンパク質のアロザイム分析に基づき , 地域集団間の「根井の遺伝的距離」を UPGMA 法によって図示したもの . * 鹿児島湾内に注ぐ河川 . Sato & Masuda (1997) を改変 .

が分散し、親の生息場所とは異なる河川に遡上する機会が多いと思われるので、各地の河川の個体群間の遺伝的交流の程度が高いと予想されます。これに対して、河川の汽水域内で一生を過ごす「汽水域内完結型」の生活史をもつヒメヤマトカワゴカイでは、洪水などで海に流下した個体が別の川にたどり着く可能性はありますが、河川間の遺伝的交流の程度は低い（すなわち、地理的隔離が生じやすい）と予想されます。この予想が正しければ、ヒメヤマトカワゴカイは、ヤマトカワゴカイに比べて、地域集団間での遺伝的分化がより大きくなるはずです。

この推測が正しいことは、増田育司さん（鹿児島大学水産学部、現名誉教授）との共同研

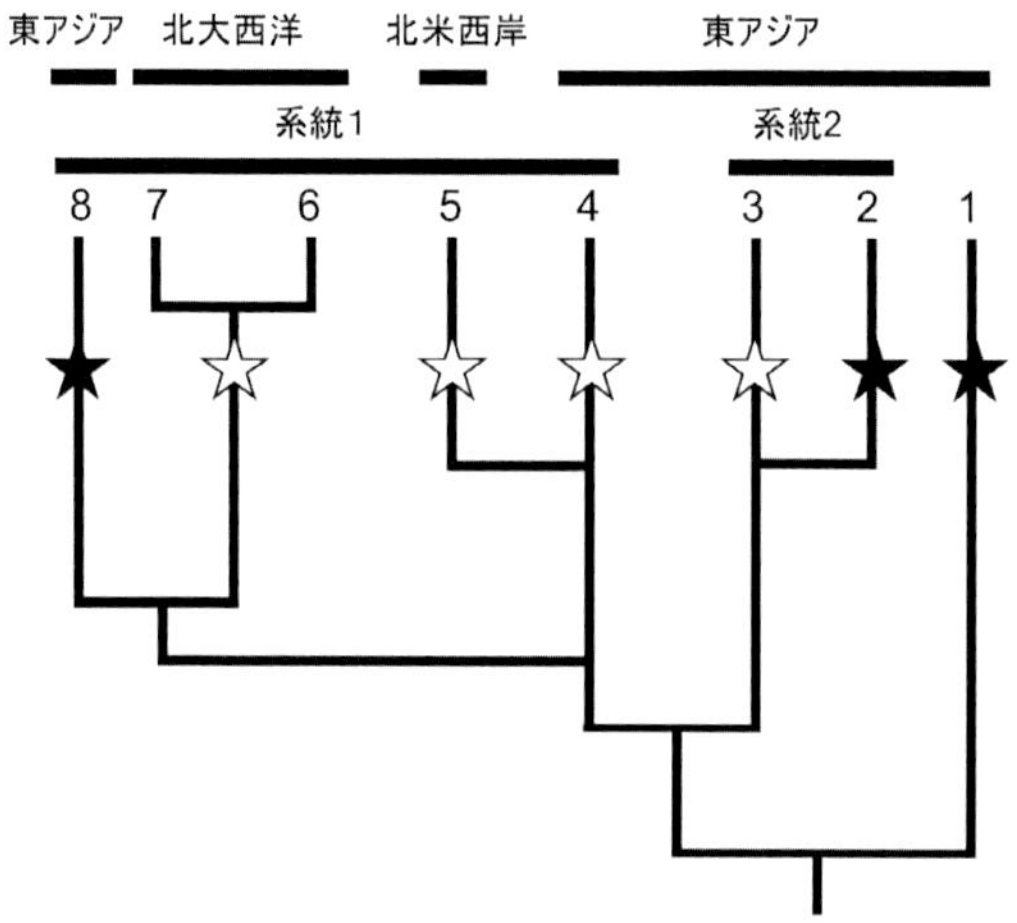

図 14　世界のカワゴカイ属 8 種のミトコンドリア遺伝子（COI と 16S rRNA）の分子系統解析に基づく系統推定．1：アリアケカワゴカイ，2：ヤマトカワゴカイ，3：ヒメヤマトカワゴカイ B 型，4：ヒメヤマトカワゴカイ A 型，5：タンスイカワゴカイ，6：セイヨウカワゴカイ A 種，7：セイヨウカワゴカイ B 種，8：韓国西岸の未記載種．★：生殖群泳を行う，☆：生殖群泳を行わない．Tosuji et al. (2019) を改変．

究によって確かめることができました（図13）。酵素タンパク質の多型（アロザイム）の遺伝子を電気泳動法によって解析した結果、ヤマトカワゴカイでは、地理的に離れた北日本と南日本の集団間でも遺伝的な分化が認められませんでしたが、ヒメヤマトカワゴカイでは、鹿児島県の薩摩半島の東岸（鹿児島湾内）と西岸（東シナ海沿岸）の集団間でも相当な遺伝的分化が確認されました。

その後、塔筋弘章さん（鹿児島大学理学部）を中心にドイツや韓国の研究者も加わった国際共同研究によって、世界のカワゴカイ属全種のＤＮＡの塩基配列が比較され、それらの進化の道筋が推定されました（図14）。その結果、ヒメヤマトカワゴカイにおける遺伝的分化は、単なる種内の変異ではなく、単一種と思っていたヒメヤマトカワゴカイの中に「姿形がそっくりの別種（現時点での名称はA型とB型）」が含まれているということがわかりました。

4　ヒメヤマトカワゴカイのA型とB型

北半球の太平洋と大西洋の沿岸に分布しているカワゴカイ属の種は、どれも形態的にたいへんよく似ているのですが、進化速度が遅い核遺伝子のＤＮＡでは種間の差異がほとんどありませんでした。したがって、世界のカワゴカイ属の種分化は、比較的最近に急速に進行したと思われます。そこで、私たちの研究では、進化速度が速いミトコンドリアＤＮＡの二つの領域のデータを用いて系統解析を行いました（図14）。その結果、ヒメヤマトカワゴカイは、明確に二つの型（A型とB型）に分かれ、A型は、他の四種（タンスイカワゴカイ、セイヨウカワゴカイのA種とB種、韓国固有の未記載種）と共に単系統群を形成し、B型は、ヤマトカワゴカイと単系統群を形成しました。

ヒメヤマトカワゴカイのA型は、韓国と日本の全域に広く分布しますが、B型の分布は、南日

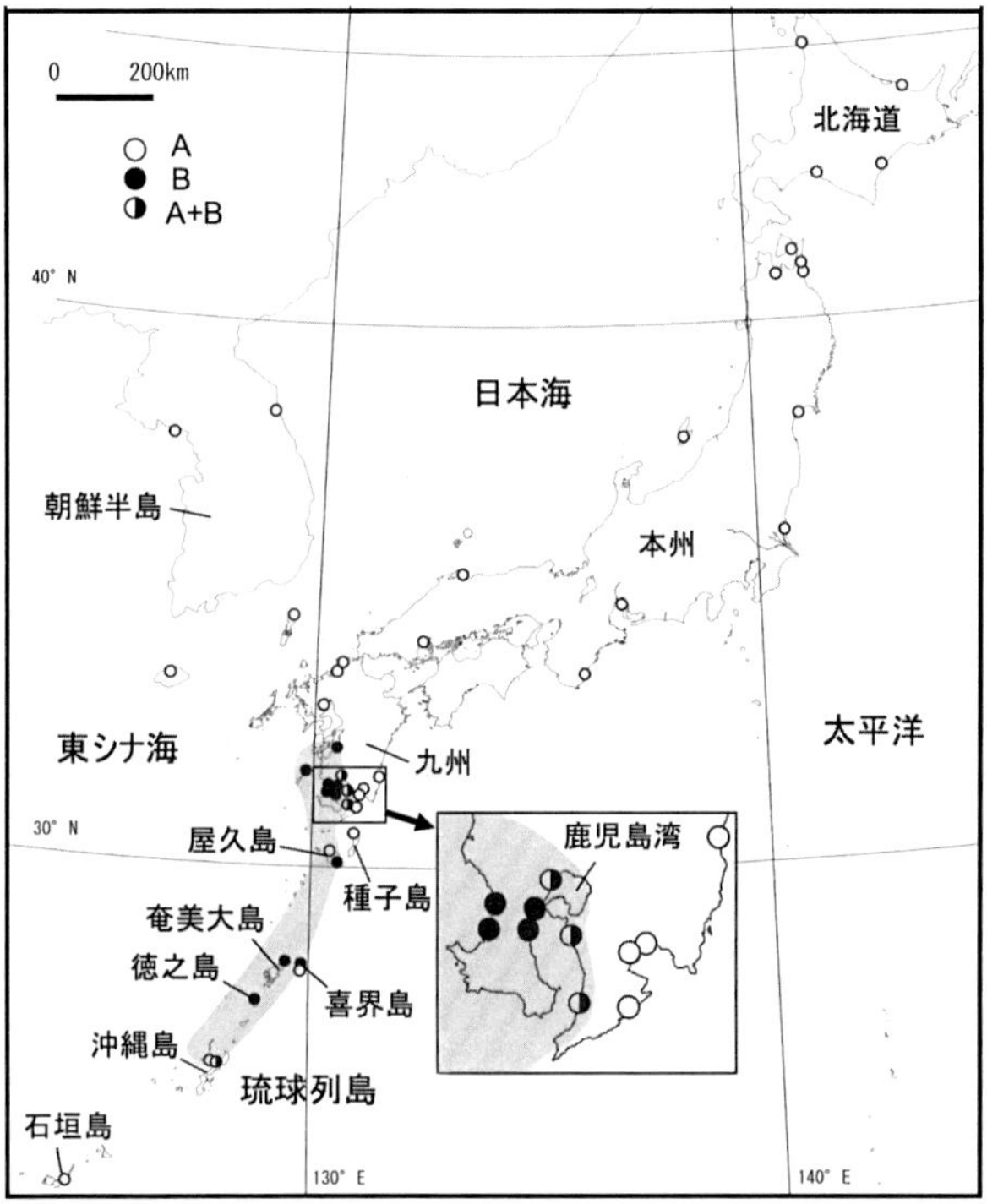

図15　ヒメヤマトカワゴカイのA型(白丸)とB型(黒丸)の分布. 灰色の網掛け部分は, B型の分布範囲(九州南西部から沖縄島まで)を示す. A型は北海道から石垣島まで広く分布している. 沖縄島の1地点と鹿児島湾内の3地点では, A型とB型が同所的に生息していた. Tosuji et al. (2019) を改変.

本（九州南西部から琉球列島の沖縄島まで）に限られます（図15）。沖縄島の一地点と鹿児島湾内の三地点では、A型とB型が同所的に生息していました。

　ヒメヤマトカワゴカイのA型とB型の間で検出されたDNAレベルの差異は、他の種間の差異に比べて十分大きいので、この二型は、すでに別種として種分化していると思われます（種分化しているということは、二型間に生殖隔離が成立していて自然交配が起こっていないことを意味しています）。現時点ではこの二型の形態的な違いが見つかっていないので、まだ分類学的な新種記載に至っていませんが、将来的には、B型が新種として記載されることになるでしょう。ヒメヤマトカワゴカイは、A型だけしか分布していない東北地方（青森市の新城川）をタイプ産地として新種記載されていますので、A型がヒメヤマトカワゴカイの学名を引き継ぐことになります。

北大西洋沿岸に分布するセイヨウカワゴカイも、ヒメヤマトカワゴカイと同様に二種（A種とB種）を含むことがわかっています。このような形態的には識別困難な複数の別種は「同胞種（sibling species）」と呼ばれます。

5　種分化の場としての東シナ海沿岸海域

生物の種多様性は、種分化を通して生み出されます。今日北半球の温帯に広がっているカワゴカイ属は、どこで生まれ、どのような進化の道をたどったのでしょうか。私たちのこれまでの研究結果は、東アジアの黄海と東シナ海の沿岸（中国大陸の東岸、朝鮮半島、日本の九州西岸と琉球列島、および台湾に囲まれた海域）がカワゴカイ属の誕生の場であり、また初期の重要な種分化が進行した場であることを示唆しています。私たちは、カワゴカイ属の進化の道筋について、次のような仮説を考えています（図14）。

①カワゴカイ属の幹系統から、最初に、アリアケカワゴカイ（現在の分布は、韓国の黄海沿岸と日本の有明海）が古代の黄海沿岸で種分化した。

②その後、幹系統は、古代の琉球列島の周辺海域で二つの系統（系統1と系統2）に分岐した。

③系統1の直系の子孫がヒメヤマトカワゴカイA型であり、その姉妹種として、韓国西岸に固有の未記載種、北大西洋沿岸のセイヨウカワゴカイ（A種とB種）、北アメリカ西岸のタンスイカワゴカイの四種が種分化した。その結果、系統1の分布が北半球全域に拡大した（図9）。

④系統2の直系の子孫はヒメヤマトカワゴカイB型であり、その姉妹種としてヤマトカワゴカイが、比較的最近に九州西岸付近で種分化した。

琉球列島の地史に関する研究によれば、かつてユーラシア大陸の辺縁部だった陸塊が、沖縄トラフの形成と拡大に伴って、大陸から分離し、琉球弧が形成されたと考えられています。その琉球弧は、現在、琉球列島という形で島嶼化していますが（図8）、中新世後期（六〇〇万年前）から更新世後期の最終氷期（一万年前）にかけては、何度か琉球弧が広い範囲で陸化し、時代によって様々な程度に島嶼を連結する「陸橋」が形成されたと考えられています（図16）。

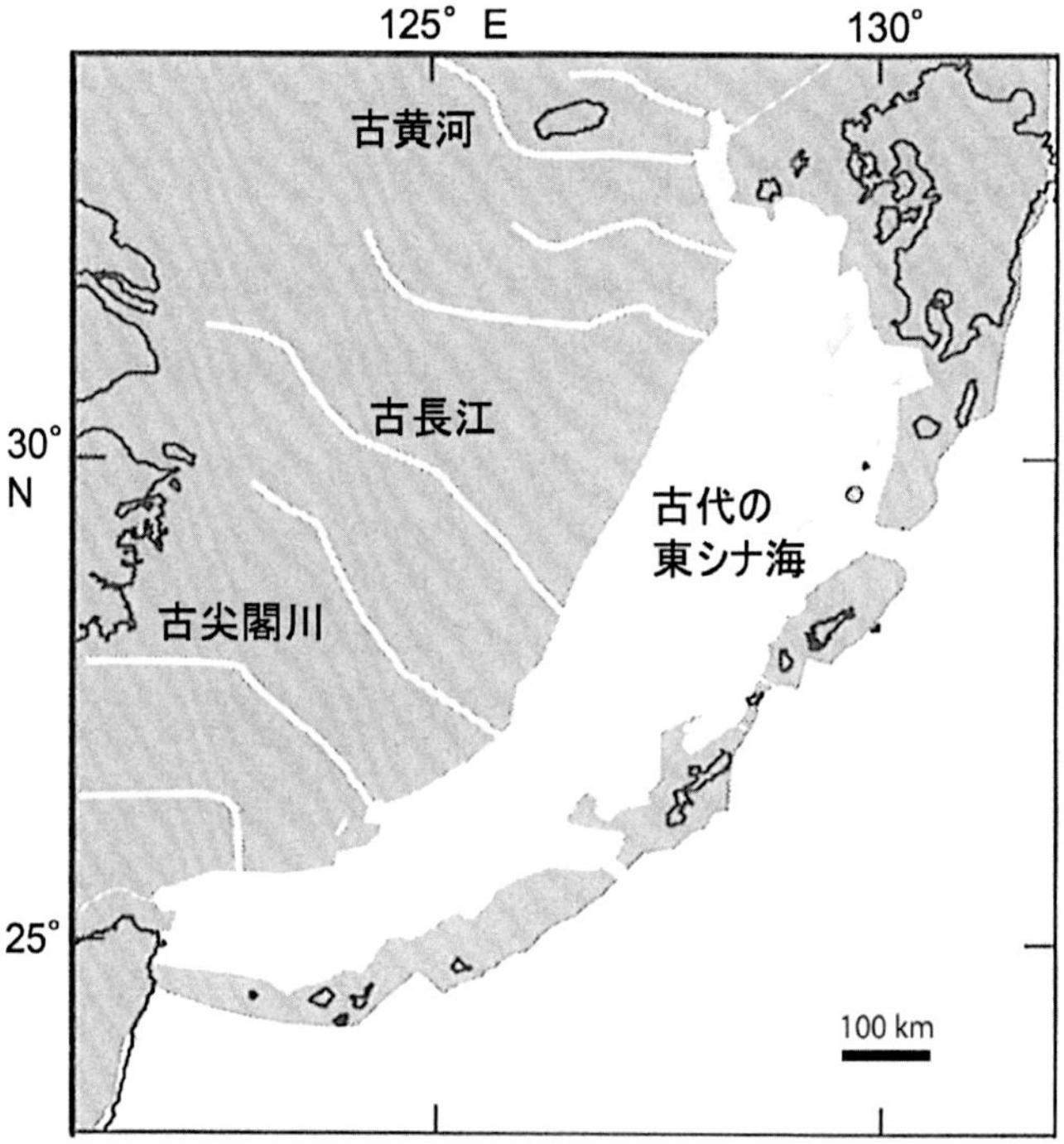

図 16　更新世中～後期（20 ～ 4 万年前）の琉球列島の古地理の推定図 . 灰色の網掛け部分は , 当時の陸域を示す . 木村 (2003) を改変 .

琉球弧に長大な陸橋が形成されれば、琉球弧と大陸の間（現在の東シナ海）に広大な閉鎖的水域が形成されたはずです。そこには長江（揚子江）や黄河などの大河川が流入するので水域全体が汽水環境になったでしょう（図16）。この閉鎖的な環境下において、汽水域内の多様なニッチェに適応した種が分化した可能性があります。その後の陸橋の消滅と黒潮の流入によって広大な汽水域は消滅し、一部の種は絶滅したかもしれませんが、一部の種は、この水域に流入する河川内の汽水域に生き残り、後に東シナ海の外にも分布を広げたかもしれません。

琉球弧の存在によって汽水域と海域が何度も入れ替わった古代の東シナ海は、ゴカイ類だけでなく、貝類やカニ類など他の生物群にとっても、東アジアの多様な汽水産種を生み出す重要な場所だったのではないでしょうか。

【コラム2】カワゴカイ類の二刀流の「食べ方」

カワゴカイ類は、雑食性であり、干潟の砂泥中にU字形の巣孔を作って生活しながら（図10B）、以下の二つの異なった摂食方法によって、巣孔の周辺の堆積物と懸濁《けんだく》物の両方を食べることができます。

堆積物食（図17）。巣孔から体前部を出して、干潟の表面に存在する底生微小藻類、大型の海藻類、デトリタス（分解途上の有機物）などを食べます。大きな餌は吻の先端にある一対の顎で掴んで、素早く巣孔に引き込みます。この食べ方は、ゴカイ科に一般的なものです。

懸濁物食（濾過《ろか》食、図18）。干潟の冠水時に巣孔の一端に頭を定位させ、下方に向かって三―六㎝移動しながら口から粘液の網を分泌した後、一―五分間体全体で波打ち運動を行なって、巣

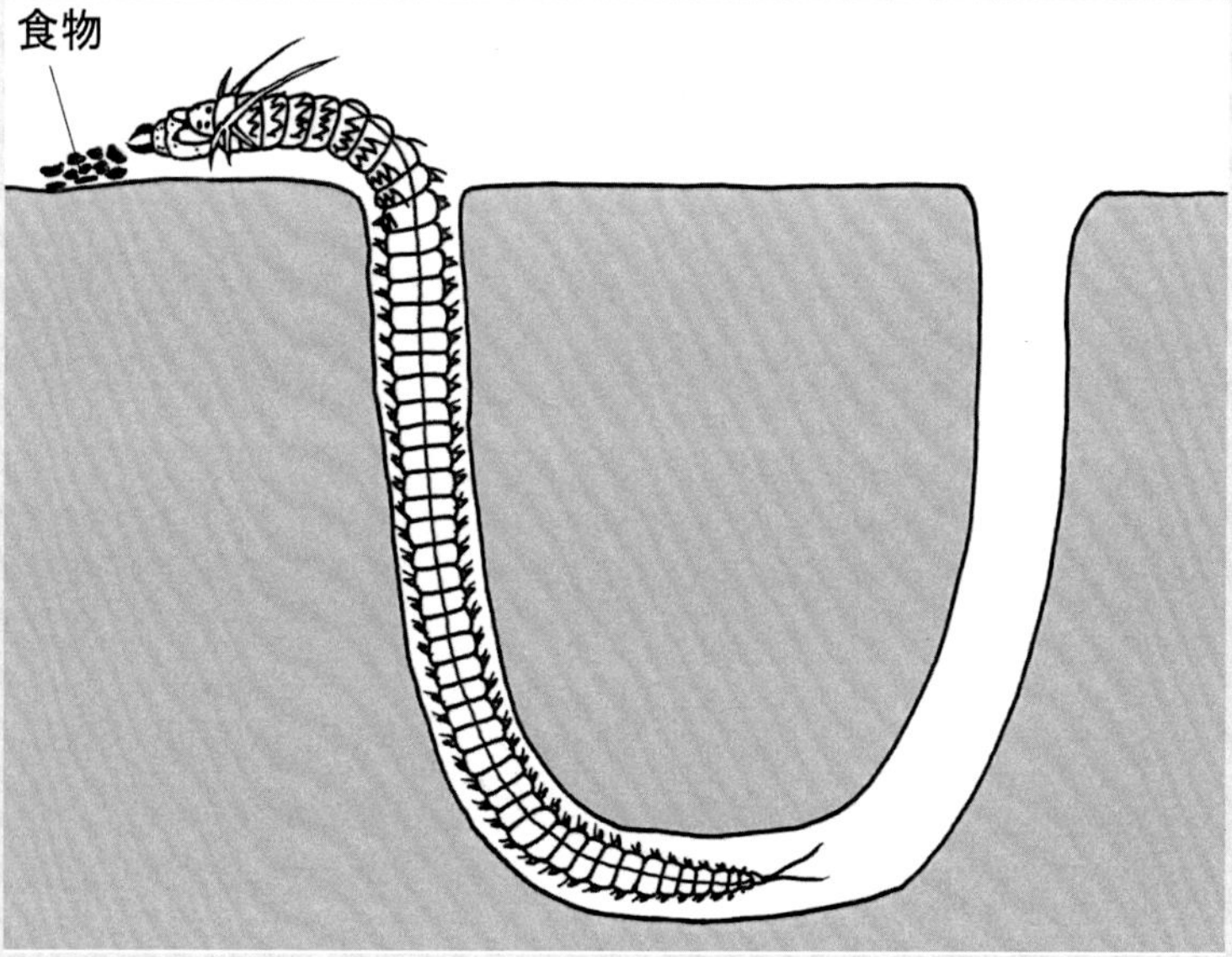

図 17　ゴカイ科多毛類の堆積物食の模式図．栗原 (1980) を改変して作図．

孔の外から内部に向かう水流を起こし、水中に含まれるプランクトンなどの懸濁粒子を粘液の網で捕捉します。その後で、体を前進させながら懸濁粒子が付着した粘液の網を丸ごと食べます。この食べ方は、ゴカイ科ではカワゴカイ属でしか知られていません。この食べ方によって、豊富な酸素が底泥の内部に供給される効果が生み出され、底泥中の微生物の酸化的分解が促進され、海底の嫌気化が抑制されていると思われます。

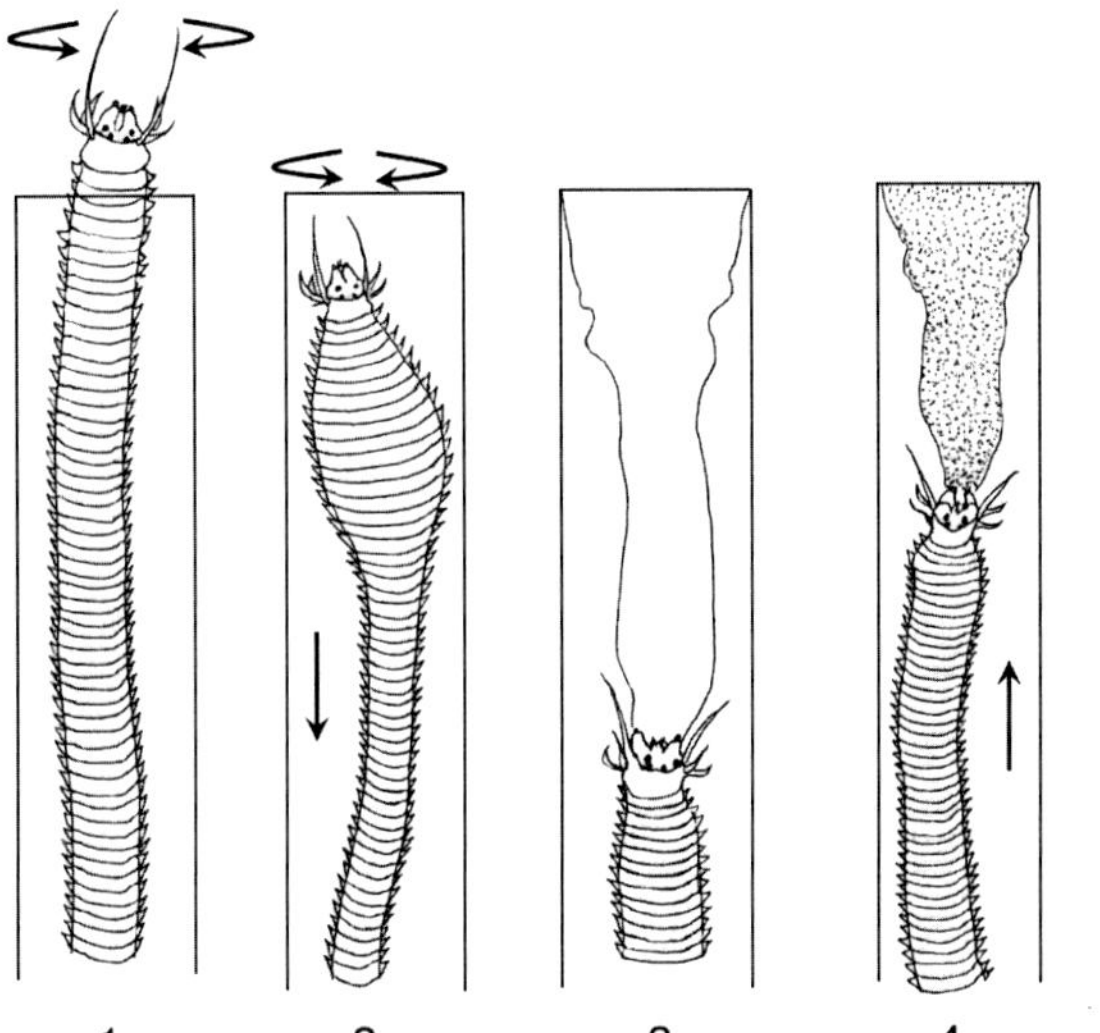

図 18　カワゴカイ属の懸濁物食（濾過食）の模式図 . Toba & Sato (2013) を改変 .
（1）体前部が半円運動を行いながら上昇し , 巣孔の外に頭を出す .（2）体前部が側方に膨らんでコブラ状になり , 半円運動を行いながらゆっくり下降する . その間に透明な漏斗状の粘液の網が巣孔の上部に仕掛けられる .（3）巣孔の入口から 2.5–6 cm 下に頭の位置を定位させ , 体全体で波打ち運動を行う .（4）懸濁物を捕捉した粘液の網を飲み込みながら上昇する .

V　イトメ

1　日本国内での分布

イトメ（図19）も、前述のカワゴカイ類と同様に、日本列島の汽水域に広く分布しており、琉球列島が分布南限になっています（図20）。北海道から九州中部までの温帯の汽水域においては比較的普通に見られる種ですが、南九州以南では稀にしか見つかりません。琉球列島では、これまでに奄美大島（龍郷湾）と沖縄島（塩屋湾）の二ヶ所でしか見つかっていません。

本種は、汽水域の下流から上流までの広い範囲に生息しており、ヨシ原の根元などの潮間帯上部（高潮帯）の泥底に穴居《けっきょ》しています。

2　アジア固有の属

イトメ属（*Tylorrhynchus*）は、アジアに固有の属であり、中国南部からインドネシアにかけて分布する*T. heterochaetus* (Quatrefages, 1865)と極東ロシア、韓国、日本に分布するイトメの二種のみを含みます（図20）。イトメは、一九〇三年に飯塚　啓によって東京の隅田川などで採集された標本に基づいて記載された種です。その後、*T. heterochaetus*のシノニム（同物異名）とされていましたが、Khlebovich (1996)によって、両種には明確な形態的差異があることが明らかにされ、イトメの学名が復活されました。

3　ユニークな生殖変態

イトメの生活史は、ヤマトカワゴカイと同様の典型的な「降河回遊型」です（図11A）。生殖時期は、秋（九月）から翌年の春（三月）までの長期にわたりますが最盛期は一〇—一二月です。成熟した個体は、大潮の満潮時直後から数時間にわたって生殖群泳を行い（図19B）、引き潮に乗って下流の高塩分域に向かって流下します。比較的小さい卵サイズ（直径一四〇—一六〇㎛）、初期発生のために必須の高塩分環境（最適塩分 三二）、トロコフォア期以降の比較的長い浮遊幼生期間（二〇日以上）などの特徴もヤマトカワゴカイによく似ています。しかし、イトメでは、ヤマトカワゴカイとは異なり、生殖群泳に先立って、「体の短縮化」を伴う独特の生殖変態が起こります。すなわち、体前部（体全体の約三分の一）にのみ卵や精子が充満し、その部分のみが「ヘテロネ

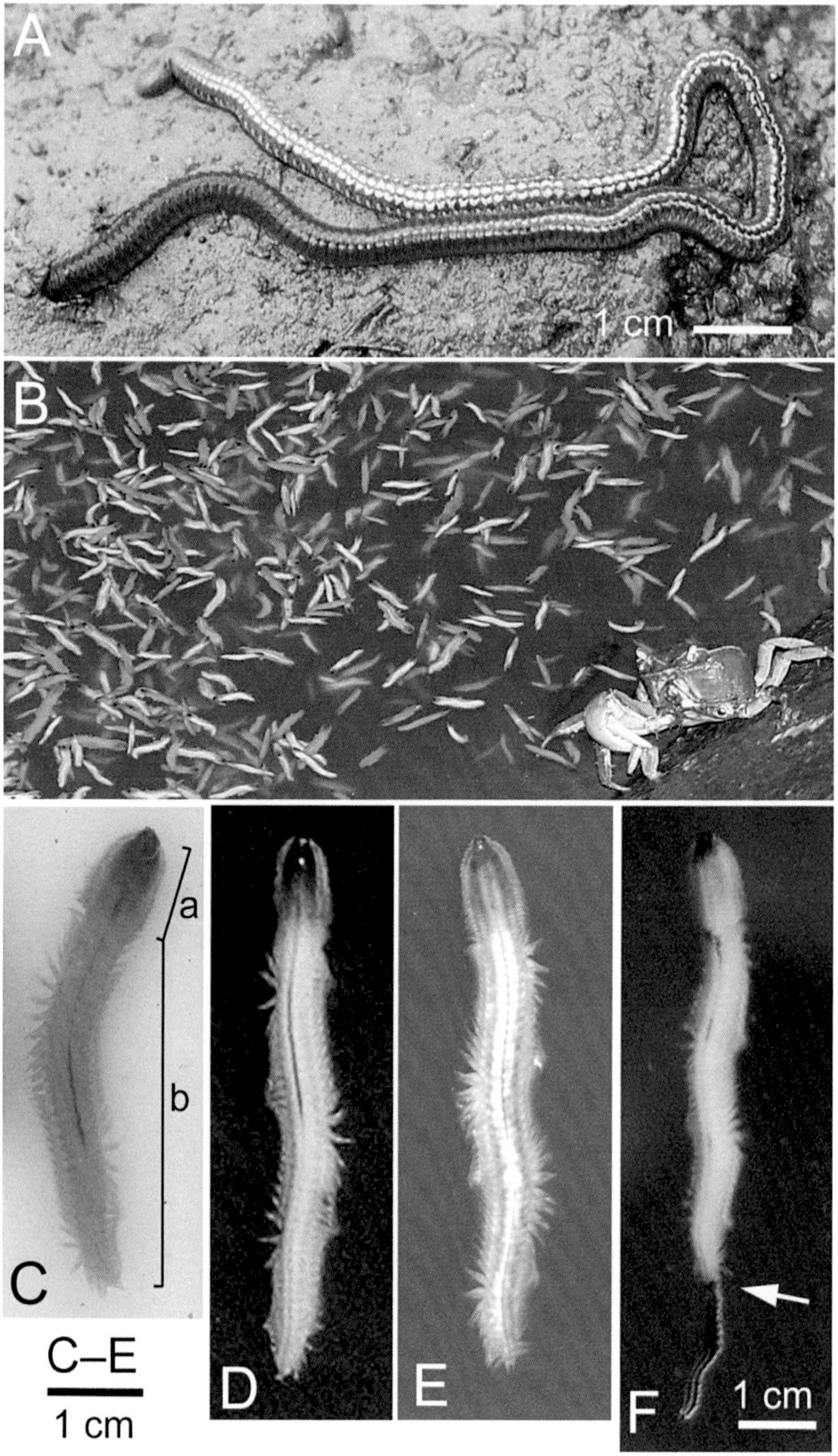
A
1 cm
B
C
a
b
C–E
1 cm
D
E
F
1 cm

レイス型」の生殖型に変態します（図19 C―19 F）。体後部は、細く短いヒモ状に退化、収縮します。生殖群泳時には、通常、退化した体後部が切り離され、体前部だけが、水中に泳ぎ出ます。同属の *T. heterochaetus* も同様の生殖変態を行います。このような体後部の退化と分離を伴う生殖変態は、本属以外の種では知られていません。ただし、イトメの生殖型は、目が大きくなり、体が前後二つの部分に分かれ、後部の疣足では通常剛毛が典型的な「ヘテロネレイス型」の遊泳剛毛（図4F）に置き換わるという点において、海産種に一般的な「ヘテロネレイス型」の特徴も保持しています。

イトメの群泳個体は、引き潮に乗って河口に向かって流下しながら、水中で放卵、放精を行います。この生殖群泳のタイミングはたいへん適応的です。イトメの成体は、河口から遠く離れた淡水に近い低塩分の環境でも生きてゆけますが、卵の受精や発生のためにはある程度の高い塩分

図19　イトメ

A: 沖縄島の塩屋湾に注ぐ大保川で採集された未成熟個体 (1991 年 11 月 24 日撮影).

B: 有明海沿岸の熊本市緑川における大規模な生殖群泳 (2003 年 10 月 29 日 江崎幹秀撮影). 群泳中の成熟した生殖型個体は体長 3–8 cm.

C–F: 有明海沿岸の大牟田市諏訪川の支流で生殖群泳中の雌 (C, D, F) と雄 (E) の生殖型個体 (2004 年 11 月 16 日 中嶋秀利撮影). 大部分の生殖型個体は , 退縮した体後部を切り離して水中に泳ぎ出るが , まれにそれを付けたまま泳いでいる個体もいる (通称ヤバチ , F). 矢印：退縮した体後部の連結部 . 生殖型個体は前部 (a) と後部 (b) に分かれ , 後部の剛毛が「ヘテロネレイス型」特有の遊泳剛毛に置き換わる . 佐藤 (2016b) を改変 .

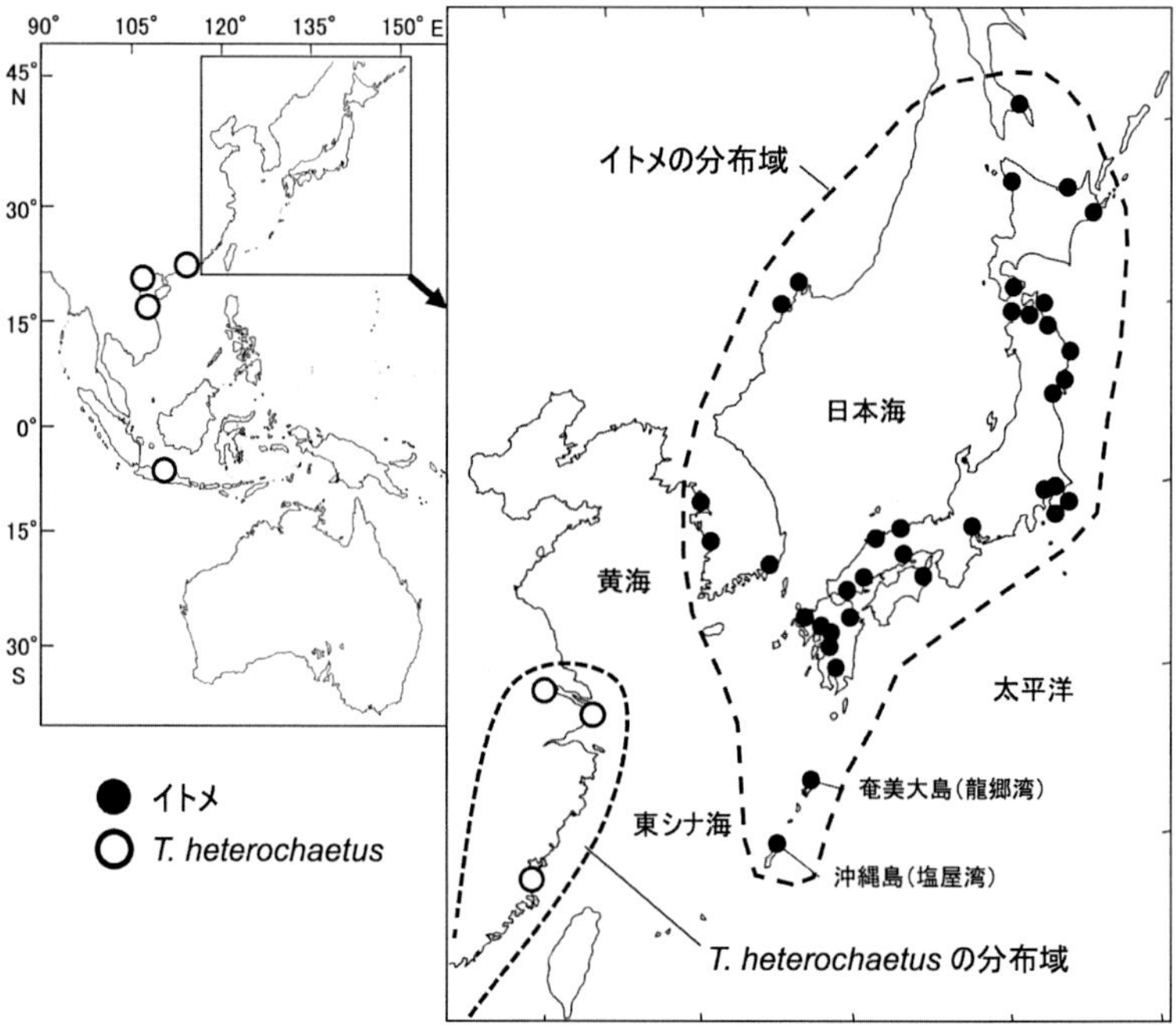

図 20　イトメ属（*Tylorrhynchus*）2 種の分布．●：イトメ *T. osawai* (Izuka, 1903), ○：*T. heterochaetus* (Quatrefages, 1865). Gravier & Dantan (1932), Wu et al. (1985), Khlebovich (1996), 佐藤（未発表資料）に基づく．

が必要だからです。大潮の満潮時には河川の汽水域の最奥部まで海水が遡上しますので、この時に成熟したイトメが泳ぎ出れば、ある程度の高い塩分を保った引き潮の河川水が、河口までイトメを運んでくれます。流下途中で受精した卵も安全に河口まで運ばれるでしょう。プランクトン幼生は河口周辺の海で浮遊生活を行った後で、河川を遡上し、汽水域の干潟に定着すると思われますが、その詳細はまだわかっていません。

イトメの生殖型個体は、低塩分の成体の生息場所から、初期発生のために必須の高塩分の環境（河口周辺）まで、すみやかに流下しなくてはなりません。その移動距離は、干満差の大きい九州や本州の汽水域では、二〇km以上にもなります。イトメでは、このような状況下での生殖の成功度を高める独自の方策が自然淘汰によって進化したと考えられます。第一に、受精の低塩分適応です。イトメの生殖型個体は幅広い塩分（一〇―三二）の環境下で放卵、放精し、その環境下で精子は高い運動活性を二四時間以上維持できることが、実験室内で確かめられています。また、卵は幅広い塩分環境下で受精可能であり、二〇―三〇%希釈海水（塩分 六―一〇）でも受精が可能です。すなわち、イトメの生殖型個体が流下途中の比較的低塩分の環境下で放卵放精を行っても、受精は成功し、その受精卵が引き潮に乗って流下し、高塩分域に到達すれば、正常に発生するのです。第二は、細長い体が著しく短くなるという本種のユニークな生殖変態の意味です。生殖型個体が長距離を流下する場合には、河川内の障害物（朽木の枝など）にひっかかって流下が妨げられるリスクがあります。体を短くすることはそのリスクを低下させるという適応的な意味があると思われます。

琉球列島の島々では、多くの河口が外海に開いており、プランクトン幼生が河口周辺に留まりにくいために、このような降河回遊型の生活史をもつ種の個体群は存続が難しいと思われますが、比較的大きな島である奄美大島と沖縄島では、内湾（龍郷湾と塩屋湾）に注ぐ河川においてイトメの生息が確認されています。河口の外に穏やかな内湾環境が存在することによって、イトメの浮遊幼生の散逸が防がれ、そこに個体群が維持されていると考えられます。

4　イトメの全国的な減少

東京周辺では、イトメの群泳個体は「バチ」と呼ばれ、その群泳は「バチ抜け」と呼ばれていました。一方、有明海では、イトメの群泳個体は、「シジナ（あるいはシイナ）」と呼ばれています。かつては、東北地方から九州にかけての広い範囲で、人々はイトメの群泳個体をすくい取り、釣り餌として利用していました。茨城県涸沼《ひぬま》では、農地の肥料としても利用されていました。一方、一九二〇年代の鳥取県の東郷池周辺では、イトメが水田を荒らす有害生物として記録されています。

それほどたくさんいたイトメも、生息場所である干潟上部のヨシ原などが河川の護岸工事などによって失われているために各地で減少しており、環境省（2017）によって「準絶滅危惧」に指定されています。

【コラム3】ベトナムのゴカイ料理

イトメの近縁種である *T. heterochaetus* の生殖型個体は、ベトナムでは地元の人々の食用にされており、「コンルオイ」という名前で知られています。

鹿児島大学理学部の同僚だった昆虫学者の山根正気さん（現名誉教授）の研究室には、昔から世界各地の研究仲間が頻繁に来訪されていました。その折には、大学の近くの小さな居酒屋で懇親会が開かれるのが常であり、私もよくご一緒させていただきました。二〇〇三年、ベトナムのハノイからアリ類の研究者であるビエットさんが来られた時、懇親会の席で、コンルオイについて尋ねてみたところ、よく知っているとのお返事でした。親切なビエットさんは、その後、ハノイの街で売られているコンルオイの写真を送って下さいました（図21）。コンルオイは稀にしか市場に出ないので、この写真を撮れたのはラッキーだったそうです。

図21　ベトナムのハノイの市場でのコンルオイ (2006年12月23日 Bui Tuan Viet撮影).
この写真が撮影された日の月齢は2.5(新月から3日後).

それから九年が過ぎた二〇一五年、鹿児島大学法文学部を退職後も活発な研究活動と現地調査を続けておられる山田　誠さん（現名誉教授）がベトナムに調査に行かれるというので、「もしハノイの市場でコンルオイを見つけたら写真を撮ってきて下さい」とお願いしました。山田さんとは学内の食堂でよく昼食をご一緒しながら雑談するのが常でしたが、この雑談がきっかけで、思いがけない展開となりました。山田さんと同伴された奥様は、案内役の現地の女子学生と一緒に、ハノイの街中でコンルオイを探し回ってくださり、ある市場で売られているコンルオイを見つけられました（図22A）。市場で売られている様子は、九年前のビエットさんの写真と同様でした。山田さんら一行は、コンルオイの料理を提供するレストランも突き止め、その調理風景も見学され（図22B）、実際にその料理を食べられたのでした（図22C）。コンルオイは、おそらく卵や香辛料などと混ぜ合わされて「さつま揚げ」のように油で揚げられていました。従って、この料理を食べる時は、その食材がゴカイの仲間だとはわからないでしょう。このコンルオイ料理は、他の料理に比べてかなり高価なものだったそうですが、山田さんには「大変美味」というわけではなかったようです。

本種は、中国南部でも食用とされています。

図22　ベトナムのハノイの市場でのコンルオイ（Aの矢印）と市内のレストランでのコンルオイの料理（B, C)(2015 年 1 月9日 山田　誠　撮影）. この写真が撮影された日の月齢は18.1（満月から3日後）.

VI　新たに発見された二種

1　新種記載までの経緯

今から三〇年前の一九九一年一一月、私は、所用で沖縄島の那覇市に行く機会があり、そのついでに、慶良間《けらま》列島の島嶼部の河川のゴカイを調べてみよう思って、那覇港から船で約四〇分の渡嘉敷《とかしき》島に渡りました。人々の集落がある港の周辺は比較的なだらかな地形であり、幅五—一〇mの渡嘉敷川が蛇行しながら緩やかに流れていました。しかし、集落が途切れるあたりから急峻な地形となり、川幅が狭くなり山中の谷川のようになりました。その辺りが海水遡上の上限（すなわち汽水域の上限）に思われました。そこで川岸の砂底をスコップで掘り返したら、ミミズ類と一緒に体長二cm程度のゴカイ科多毛類がたくさん見つかりました。

それまでの九州や本州での調査経験から、私は、汽水域の最上流部（淡水域との境界付近）に生息しているゴカイ科の種は、前述のカワゴカイ類かイトメしかいないはずと思っていたのですが、渡嘉敷川で見つけたゴカイは、それらとは異なる珍奇な種でした（図23）。

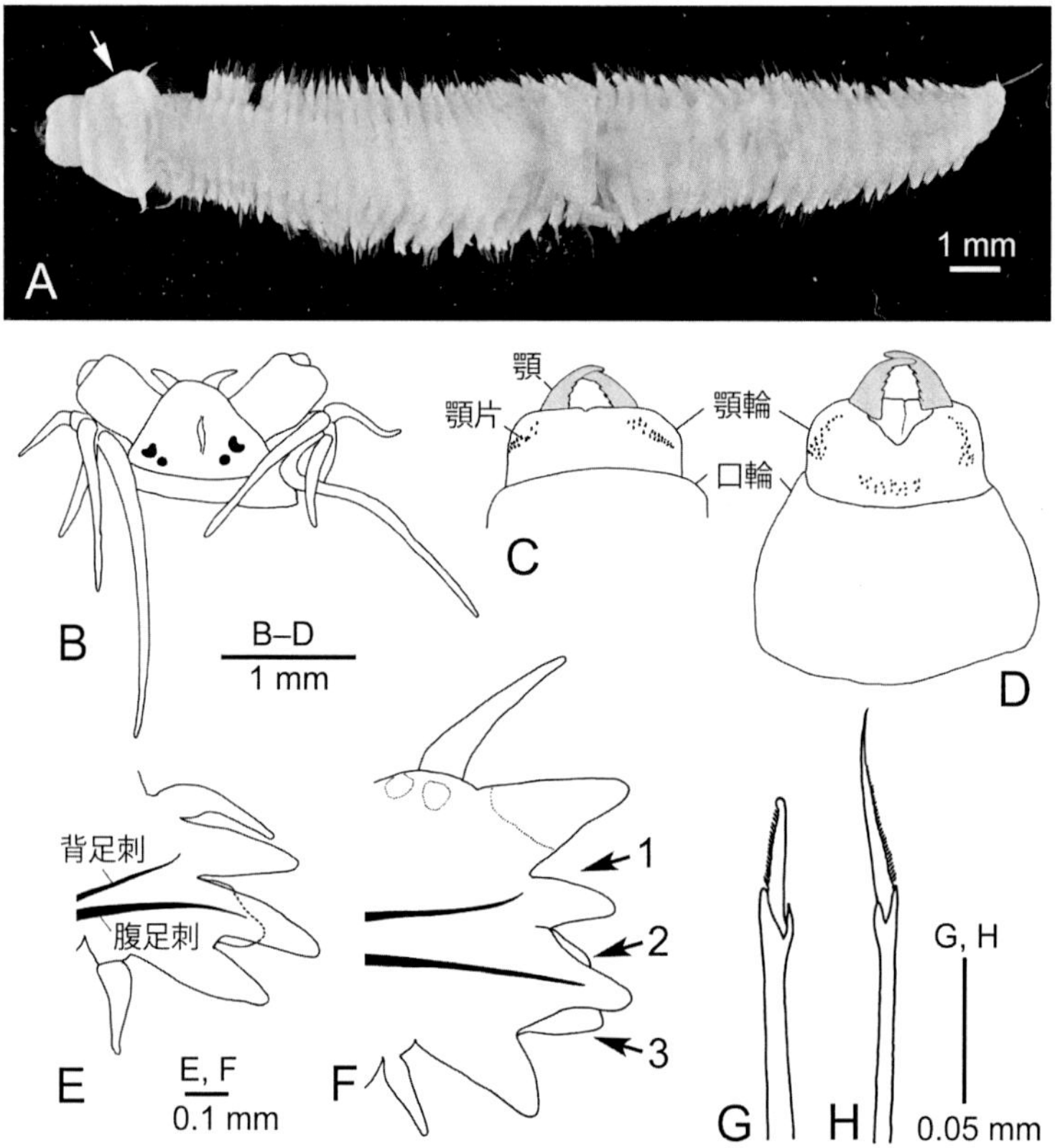

図 23　トカシキナガレゴカイの形態 (1991 年 11 月に渡嘉敷川から採集されたタイプ標本).
A: 虫体全体の背面 (矢印：大きく膨らんだ吻の口輪). B: 体前部の口前葉と囲口節の背面 . C: 翻出した吻の背面 . D: 吻の腹面 . E: 第 1 剛毛節の右の疣足 (後から見たところ). F: 第 5 剛毛節の右の疣足（後から見たところ , 1: 背剛毛の位置 , 2: 上部腹剛毛の位置 , 3: 下部腹剛毛の位置）. 腹剛毛 (2 と 3) の構成要素の一つである短複剛毛 (G) が第 5 剛毛節の前後に限って , 針状複剛毛 (関節部非対称型 , H) に置き換わっている . Sato (2020) を改変 .

図 24　クメジマナガレゴカイのタイプ産地の生息地．久米島北部（具志川城）の隆起サンゴ礁原内の潮間帯上部に位置する湧水の湧出口と小川（2007 年 5 月 2 日 佐竹　潔撮影）．

ゴカイ科の分類のためには、まずは、吻の形態を観察します（図3C）。吻は、咽頭の先端部にあって平常時には反転して口の内部に収まっています。その先端には一対の顎があります。摂餌の時などに外に伸出し、顎で餌を捉えて素早く縮退します。吻の表面に並んでいるキチン質の歯（顎片《がくへん》）や肉質突起の形状、数、配列は、ゴカイ科の種を判別するために役立つ重要な形質です。渡嘉敷川の標本は、顎片の配列パターンなどの特徴から、当時の検索表に従って *Composetia* 属の種と同定することができました。これまで日本では *Composetia* 属は海域のみで知られており、河川からは知られていませんでした。しかも、この標本

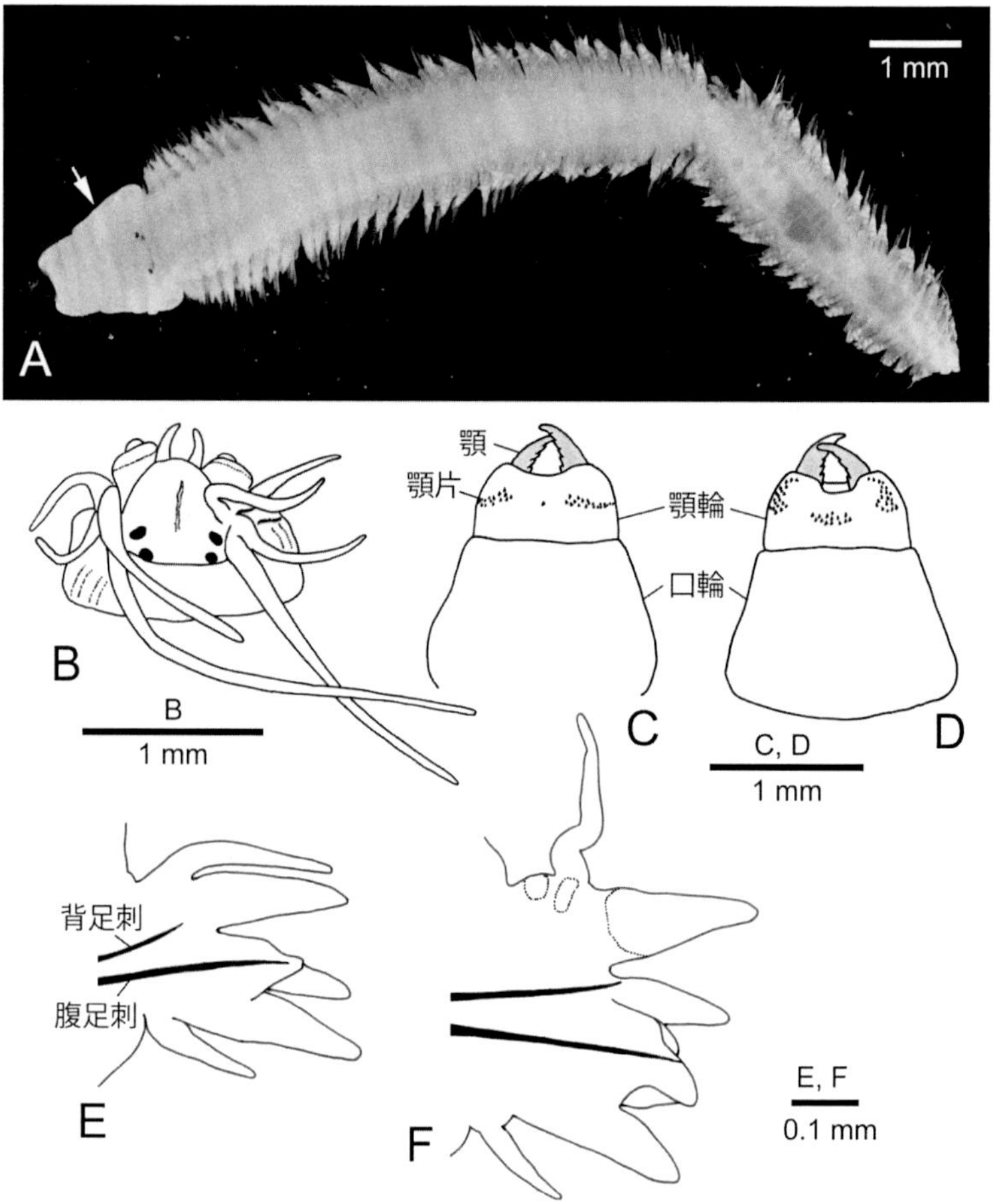

図 25　クメジマナガレゴカイの形態 (2013 年 11 月に久米島北部の具志川城から採集されたタイプ標本). A: 虫体全体の背面 (矢印 : 大きく膨らんだ吻の口輪). B: 体前部の口前葉と囲口節の背面 . C: 翻出した吻の背面 . D: 吻の腹面. E: 第 1 剛毛節の左の疣足 (前から見たところ). F: 第 5 剛毛節の右の疣足 (後から見たところ). Sato (2020) を改変 .

には、吻の下部（口輪《こうりん》）が大きく膨らむという珍しい特徴も認められました（図23A、23D）。もしかしたら未記載種（動物命名規約に従った分類学的な記載がまだ行われていない種）かもしれないと思いましたが、当時の私は、別のテーマの研究に没頭していたために、この渡嘉敷川の標本は、その後長く研究室の中で眠ってしまいました。

それから八年後の一九九九年三月、佐竹　潔さん（国立環境研究所）が久米島の北部（具志川城《グシチャグスク》）の隆起サンゴ礁内の湧水起源の小川（図24）で小型のゴカイを見つけられました。佐竹さんは、その後、二〇〇七年三月にも同じ場所で同じゴカイを採集され、それらの標本と生時の標本写真（表紙写真）を私に送ってくださいました。顕微鏡で形態を調べた結果、これらの標本は、前述の渡嘉敷川の標本とそっくりの*Composetia*属の種であることがわかりました（図25）。そこで、先の渡嘉敷川の標本を再び取り出し、久米島の標本と見比べながら、顎片の数、疣足の形、剛毛の種類と配列などの形質を詳しく調べました。その結果、両者はたいへんよく似ているけれども、体前部の第五剛毛節付近に限って、剛毛の配列パターンに重要な違いがあることがわかりました。その結果から、「両者は、別種であり、共に未記載種である」という結論に至りました。その後、この二種の地理的分布を明らかにするために、多くの人の協力を得ながら琉球列島全域での標本収集に努め、琉球列島の一〇島の合計二八地点からこれらの種の標本を得ることができました。この二種の分類と生活史を修士論文のテーマとした当時の私の研究室の大学院生、海老原匠さんは、頻繁に島に出かけ、たいへん重要な貢献をしてくれました。また、小島茂明さんと福森啓晶さん（東京大学大気海洋研究所）には、これらの標本のミトコンドリアＤＮＡの塩基配列を調べていただき、二種の地域個体群間の遺伝的分化を検討することもできました。これらの結果をまとめた二つの論文が二〇二〇年一月に出版され、その中で、二種が新種として記載されました。

2　トカシキナガレゴカイの形態と地理分布

最初に渡嘉敷川で採集された種は、*Composetia tokashikiensis*（和名：トカシキナガレゴカイ）と命名し、渡嘉敷川の標本をホロタイプ（完模式標本）に指定しました。最大体長は約三㎝。体前部の第五剛毛節の前後の疣足においてのみ、腹足枝の上部および下部腹剛毛束の短複剛毛がすべて（または大部分）針状複剛毛（関節部非対称型）に置き換わっている（図23）という特徴によって、後述のクメジマナガレゴカイから識別することができます。トカシキナガレゴカイは、これまでに中琉球（奄美大島、加計呂麻島、沖縄島、渡嘉敷島）と南琉球（石垣島、与那国島）の六島の二〇地点から採集されています（図26）。また、私は、

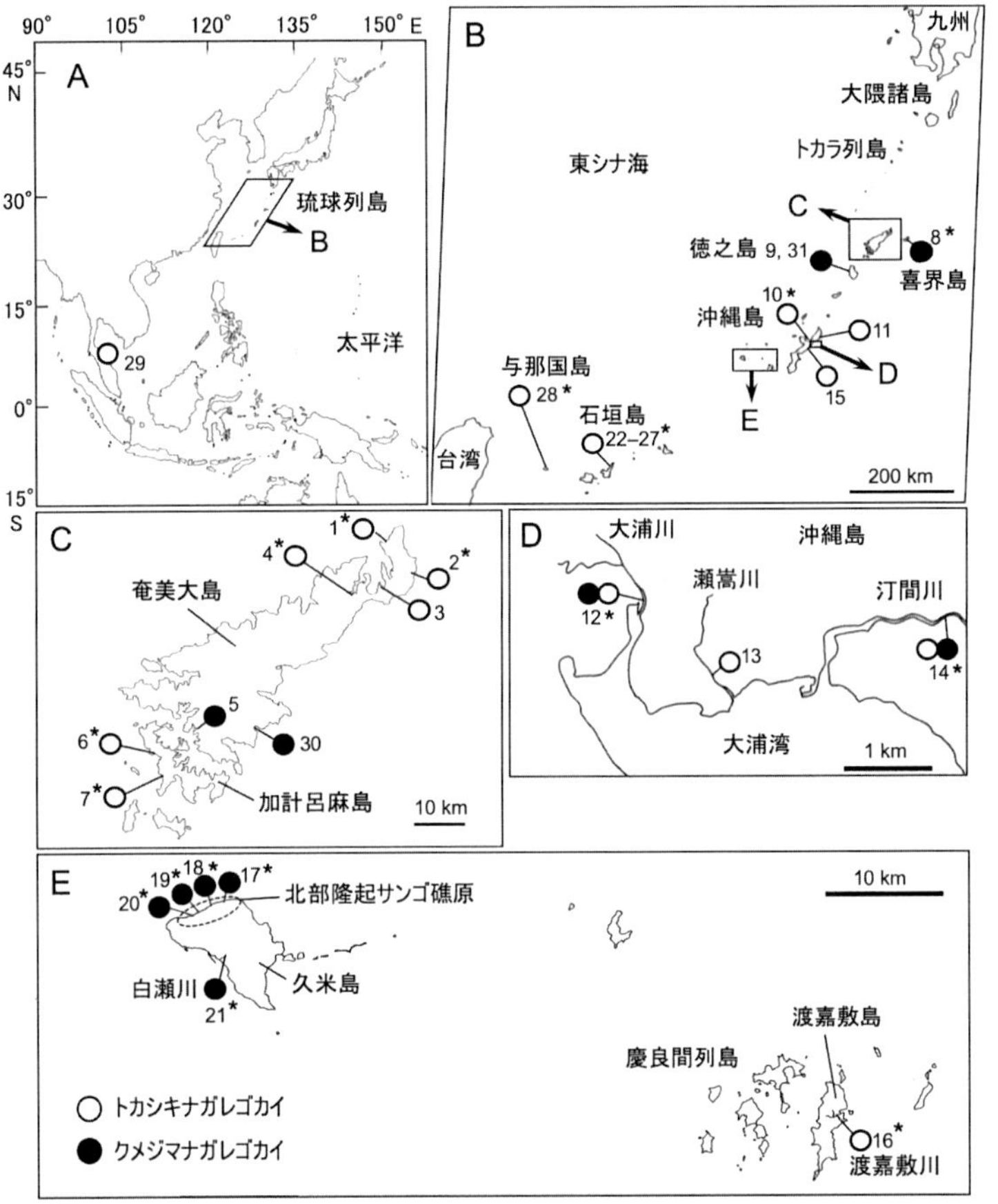

図 26 トカシキナガレゴカイとクメジマナガレゴカイの地理的分布 . 数字は地点番号を示す .
＊ : ミトコンドリア COI 遺伝子が解析された地点 . Sato et at. (2020, 地点番号 1-29) と Villalobs-Guerrero et al.（印刷中 , 地点番号 31）および佐藤（未発表 , 地点番号 30）に基づく .

二〇〇八年以降、タイ南部のプリンスオブソンクラ大学のサオワパ（Saowapa Angsupanich）さんとソンクラ湖（汽水湖）に生息するゴカイ類について共同研究を行っていますが、そのソンクラ湖から二〇〇八年一一月に採集されたゴカイ類の標本からもトカシキナガレゴカイが一個体見つかりました。したがって、本種は、琉球列島から東南アジアにかけての広い範囲に分布している可能性があります。

3　クメジマナガレゴカイの形態と地理分布

久米島で発見された種は、*Composeti kumensis*（和名：クメジマナガレゴカイ）と命名しました。最大体長は約二㎝。疣足の剛毛の種類組成は体全体を通して一定であり、トカシキナガレゴカイで見られたような第五剛毛節の前後だけが特殊化するということはありません（図25）。

クメジマナガレゴカイは、これまでに中琉球（喜界島、奄美大島、徳之島、沖縄島、久米島）の五島一二地点から採集されています（図26）。

4　二種の生息場所

琉球列島におけるこれら二種の採集地点（合計三〇地点）の大部分（二八地点）では、二種の

図 27 A：隆起サンゴ礁原の湧水タイプの生息地の例 (久米島北部のミーフガー東におけるクメジマナガレゴカイの生息地). 黒矢印：生息地 . 白矢印：淡水の流れ .
B：通常河川タイプの生息地の例 (奄美大島北部の屋仁川におけるトカシキナガレゴカイの生息地). Sato et al. (2020) より引用 . (©2020 日本動物分類学会).

うちのいずれか一種のみしか採集されていませんが、沖縄島北部の大浦湾の二地点(大浦川と汀間川）だけでは、両種が同所的に生息していました（図26D）。これら二種は、いずれの場所でも、川岸の砂質底に巣孔を作ってその中で生活しています。

これら二種の生息場所は、小規模な汽水域の上流部（淡水域に隣接する部分）の狭い範囲に限られているという点で、共通しています。そこは、普段は淡水が流れている場所ですが、海の干満差が大きい大潮の満潮時刻の前後に限って遡上した海水が到達するため一時的に高塩分の環境にさらされます。その生息場所は、以下の二つのタイプに分けることができます（図27）。

（1）湧水タイプ。隆起サンゴ礁原に存在する湧水起源の淡水が流れる小川（通常、川幅が一m以下）の大潮満潮線付近。クメジマナガレゴカイに特有の生息場所であり、久米島北部の四地点、喜界島の浦原川、徳之島の千間海岸の合計六地点がこのタイプに当てはまります。いずれの場所でも生息範囲はたいへん狭く、一〇m以下の流程内に限られています。したがって、ここでは個体群のサイズも小さいと思われます。

私たちは、久米島の具志川城（図24）における現地調査（二〇一三年一一月二三日）によって、ここの生息場所が、いつもは淡水（同日の水温一九℃、塩分〇・二）の環境下にあること、しかし「潮位の高い大潮」の満潮時刻前後に限って、外海から遡上する海水に覆われて、一時的に、高水温・高塩分の環境（同日の水温二三℃、塩分三三・一）に急激に変化することを確かめました。大潮とは、月に二回（満月または新月の頃のそれぞれ数日間）の干満差の大きな期間を意味しますが、全ての大潮で生息地の環境変動が起こるわけではありません。気象庁が公開している那覇港の実測潮位と私たちの現地調査の結果からは、二〇一三年一一月の一ヶ月間でこのような環境変動が実際に起こったのは、久米島のこの場所では、六日程度しかないことがわかりました。

このような「潮位の高い大潮」の満潮時刻前後では、久米島北部の隆起サンゴ礁原（図26E）の全体が海水によって冠水するため、そこに存在する四地点の湧水タイプの生息場所はすべて海水を介して連結されることになります。

（２）通常河川タイプ。比較的水量の多い河川（通常、川幅が一ｍ以上）の大潮満潮線付近。上記の（１）以外の二四地点がこのタイプです。トカシキナガレゴカイの生息場所は全てが通常河川タイプです。一方、クメジマナガレゴカイは、通常河川タイプと湧水タイプの両方から採集されています。

通常河川タイプの生息場所は、湧水タイプと同様に、通常は淡水が流れていますが、砂泥中に少し潜れば多少の塩分が残存している可能性があります（大潮満潮時の塩水の遡上に際しては、密度の高い海水は底層部に定位しやすいため）。これに対して、湧水タイプの生息場所では、地下から淡水が湧出しているので、生息地の砂泥中に塩分が残留しにくいと予想されます。したがって、湧水タイプに生息可能なクメジマナガレゴカイは、トカシキナガレゴカイよりも淡水に対する耐性が強いかもしれません。

タイにおけるトカシキナガレゴカイの生息場所であるソンクラ湖は、琉球列島の小河川に比べるとはるかに規模の大きな汽水域ですが、ここでは雨季と乾季での降水量の顕著な違いを反映して、季節的な塩分変動が極めて大きいことがわかっています（塩分一―三三）。

5　地域個体群の遺伝的分化

私たちは、琉球列島におけるクメジマナガレゴカイの八個体群、トカシキナガレゴカイの一五個体群、合計二三個体群について（各個体群から一―九個体）、ミトコンドリア遺伝子の塩基配列の比較を行いました。その結果、合計七三個体から、二五種類のハプロタイプ（塩基配列の異なる型）が得られました。これらのハプロタイプの系統解析の結果、この二種間では明瞭な遺伝的分化が生じていることが確認できました（図28）。

次に、それぞれの種内での個体群間での遺伝的分化を検討してみましょう。中琉球にのみ分布するクメジマナガレゴカイでは、久米島の個体群と他の二島（沖縄島、喜界島）の個体群の間で、顕著な遺伝的分化が起こっていることがわかりました。さらに、久米島の北部と南部の個体群間でも相当な分化が起こっていることもわかりました。久米島の北部では隣接する四地点（すべて湧水タイプの生息場所）から得られた一二個体がすべて同一のハプロタイプ（I）を有しており（図29）、一方、島の南部の白瀬川の一地点（通常河川タイプ）から得られた二個体はそれぞれ別のハプロタイプ（J、K）を有していました。

沖縄島北部東岸の大浦湾の二地点（大浦川と汀間川、いずれも通常河川タイプの生息場所）では、

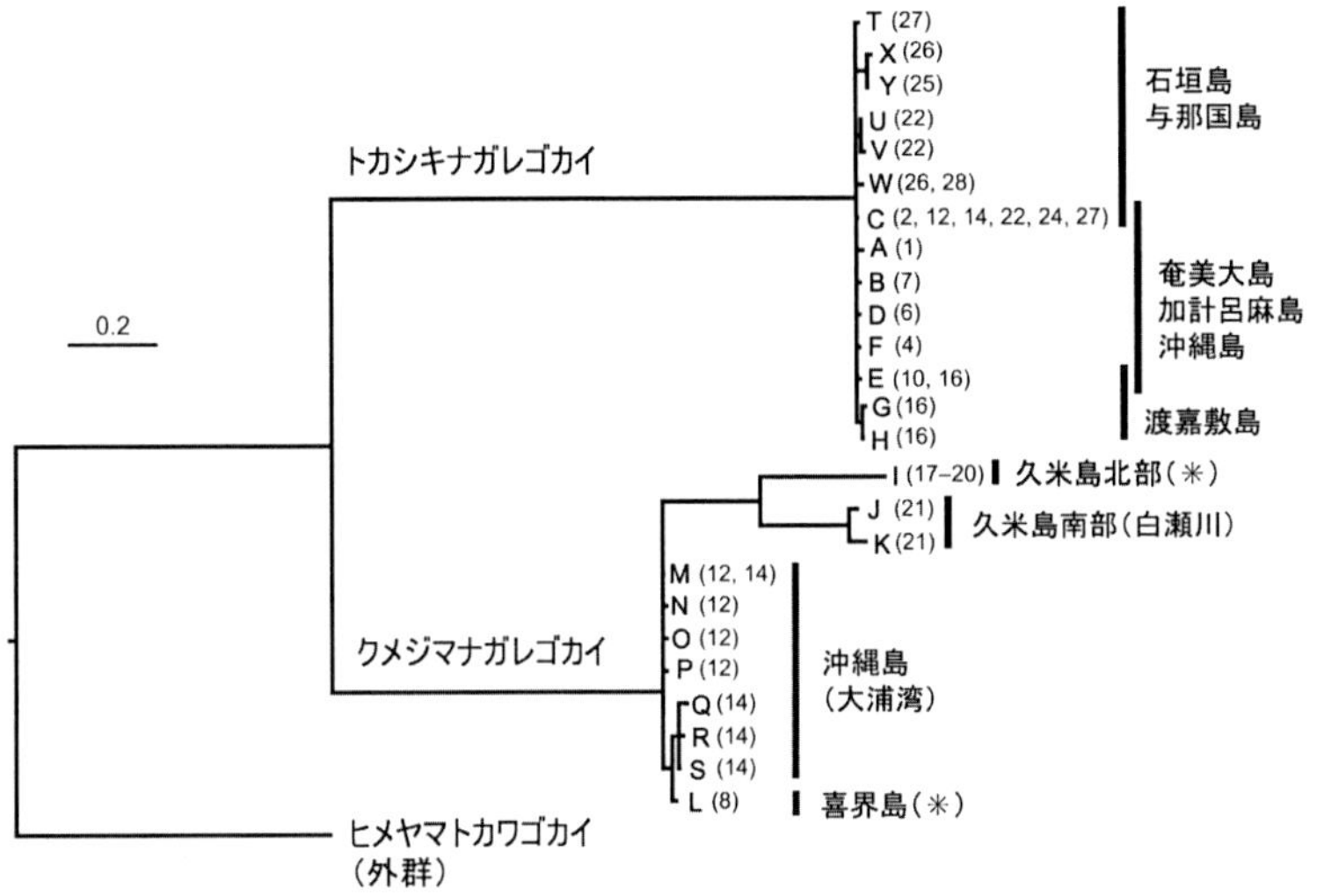

図 28　琉球列島の 8 島 21 地点から採集されたトカシキナガレゴカイとクメジマナガレゴカイの合計 25 ハプロタイプ (A – Y) の系統推定 . ミトコンドリア遺伝子 (COI) の分子系統解析に基づき , ベイズ法で作成 . *: 隆起サンゴ礁原の湧水タイプの生息地 . カッコ内の数字（1–28）は図 26 の地点番号に対応.　Sato et al. (2020) を改変 .

ハプロタイプの多様性が高く、大浦川では六個体から四種類のハプロタイプ（M、N、O、P）が見つかり、汀間川では四個体から四種類のハプロタイプ（M、Q、R、S）が見つかりました（図29）。一方、喜界島の浦原川（湧水タイプの生息場所）から得られた七個体はすべてが同一のハプロタイプ（L）を有しており、それは汀間川の三種類のハプロタイプ（Q、R、S）に近縁なものでした（図28）。

中琉球と南琉球に広く分布しているトカシキナガレゴカイについては、六島（奄美大島、加計呂麻島、沖縄島、渡嘉敷島、石垣島、与那国島）の一五

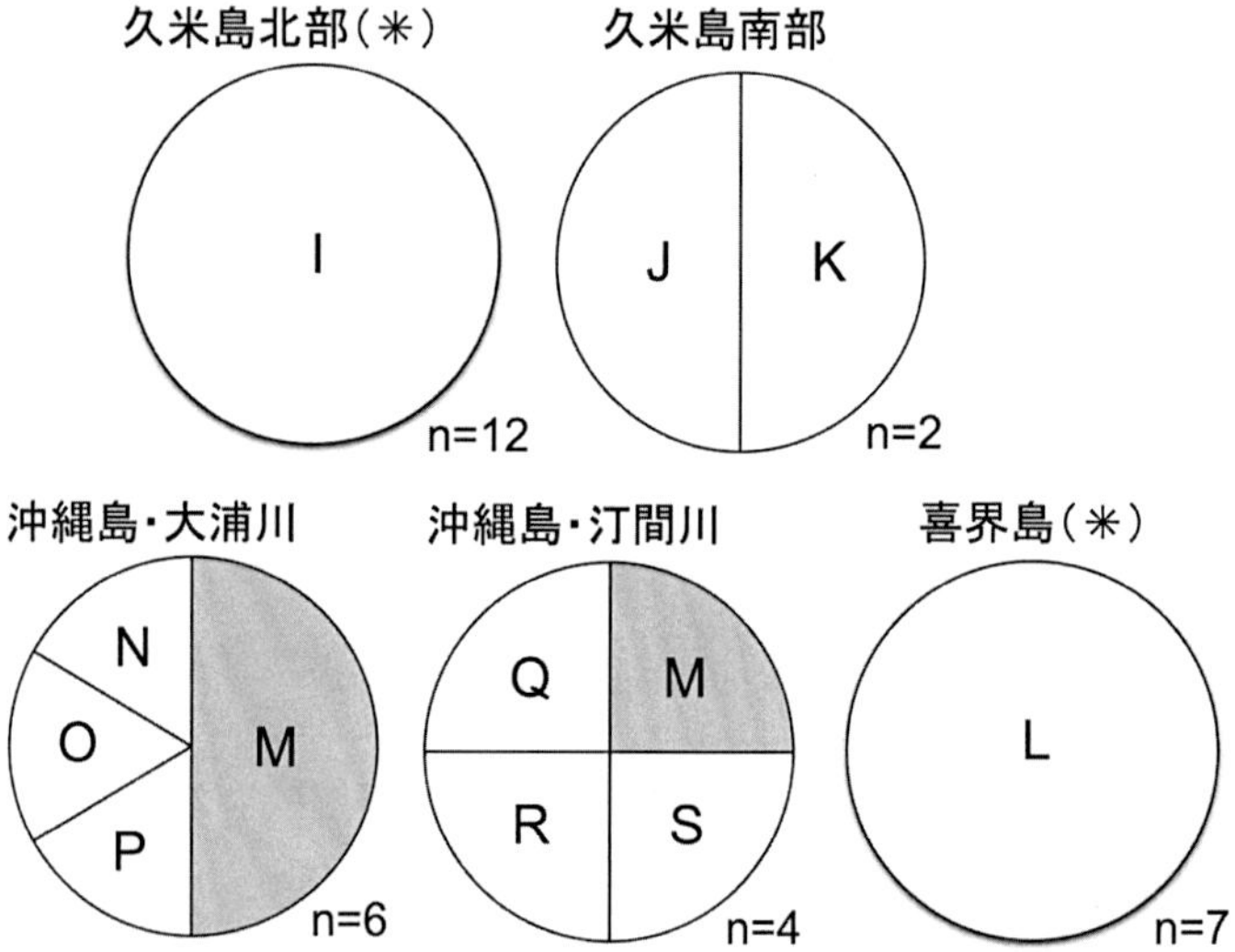

図 29　クメジマナガレゴカイの個体群のハプロタイプの多様性．ハプロタイプ M だけが隣接する 2 河川（大浦川と汀間川）で共有されていた．*: 隆起サンゴ礁原の湧水タイプの生息地．

地点の個体群間で顕著な遺伝的分化は認められませんでした。しかも、一つのハプロタイプ（C）は、中琉球と南琉球の三島（奄美大島、沖縄島、石垣島）の合計一四個体に共有されていました。

以上の結果から、島嶼間で顕著な遺伝的な分化が起こっていないトカシキナガレゴカイと久米島の個体群を除くクメジマナガレゴカイは、島嶼ごとに長年隔離されているわけではなく、島嶼間での遺伝的交流が維持されているように見えます。

6　ゴカイはどのようにして島嶼間を移動するのか

クメジマナガレゴカイとトカシキナガレゴカイの生活史についてはまだよくわかっていないのですが、おそらく両種の生活史は、ヒメヤマトカワゴカイと同様の「汽水域内完結型」（図11B）であり、浮遊幼生が海を渡っている可能性は小さいと思われます。

一般に、底生無脊椎動物においては、小さな卵を多数産む種は、長期間の浮遊幼生期をもつ傾向があります。一方、大きな卵を少数産む種は、浮遊幼生期が短いかあるいはそれを欠いています。クメジマナガレゴカイとトカシキナガレゴカイの体内からこれまでに見つかった卵の最大サイズは、それぞれ三三〇㎛、二五〇㎛であり、浮遊幼生期がないヒメヤマトカワゴカイの成熟卵と同等またはそれ以上の大きさです。したがって、これら二種も、浮遊幼生期をもたない可能性が高いと考えられるのです。

また、これまでの調査では、両種共に生殖変態個体は全く見つかっていません。したがって、彼らは、前述のヒメヤマトカワゴカイと同様に、生殖群泳を行わないで、汽水域内の砂泥中で産卵している可能性が高いと思われます。

この推測が正しければ、この二種は、通常は、狭い汽水域内で一生を過ごしていることになります。しかし、ヒメヤマトカワゴカイの場合と同様に、大雨の後の洪水などによって一部の幼体や成体が海に流出する可能性があります。また琉球列島の小さな川の汽水域では生息場所が海に近いので、台風などによる高波によって幼体や成体が海にさらわれることもあるでしょう。その幼体や成体が、場合によっては流木や落ち葉などにつかまって、海原を漂い、運良くどこかの汽水域に流れ着くならば、そこに定着できるでしょう。おそらくこのような形での幼体もしくは成体の移動分散によって、地域集団間での遺伝的交流がもたらされているものと思われます。

久米島北部と喜界島の湧水タイプの生息場所におけるクメジマナガレゴカイの個体群では、遺伝的多様性がきわめて低く、いずれも単一のハプロタイプしか見つかっていません。これらの個体群は、ごく少数の個体の漂着に由来し（創始者効果）、その後の「遺伝的浮動」によって単一のハプロタイプへの固定が容易に進行したのではないかと思われます。

幼体や成体が海を越えて島嶼間を移動できるかどうかは、彼らが高塩分の海水にどの程度耐えることができるかにかかっています。長く耐えることができれば、より遠くまで移動可能であり、首尾よく汽水域に到達できる可能性も高まるでしょう。クメジマナガレゴカイの久米島の個体群では、島内の北部と南部の間ですら顕著な遺伝的分化が進行していました。果たして、久米島の個体群は、高塩分に対する耐性が弱いのでしょうか。

知りたいことはまだたくさんあります。

クメジマナガレゴカイとトカシキナガレゴカイは、二〇二〇年に出版された論文で*Composetia* 属の新種として記載されましたが、私の当初の計画では、この二種は*Composetia* 属ではなく、新属新種として発表するつもりでした。

7　新属の創設

ゴカイ科では、疣足の内部の背側と腹側に一本ずつ足刺（背足刺と腹足刺）を備えています（図3E）。ただし、大部分の種では、最初の二つの剛毛節（剛毛を備えた体節）だけは背足刺がありません（図3D）。そこに背足刺を持つ種は一部の属だけに限られており、*Composetia* 属の既知種（世界で約五〇種）ではこれまでそのような例は知られていませんでした。しかし、クメジマナガレゴカイとトカシキナガレゴカイは、このユニークな特徴を備えていたのです（図23、25）。そのため、私は、この二種を「新属新種」として記載する論文原稿を準備し、投稿したのでした。

ただし、ここには一つ大きな問題がありました。新属の創設のためには、*Composetia* 属のタイプ種（属の基準となる特定の種）である*C. costae* との詳細な比較が不可欠です。この種は、Grube (1840) によって、地中海（イタリアのナポリ湾）から採集された標本に基づいて記載されました。しかし、この原記載論文には、多くの重要な形質が記述されておらず、標本のスケッチもありませんでした。それにもかかわらず、その後の研究者は、このタイプ標本を再検討しないまま（したがって、本種の定義が曖昧なまま）、世界各地から記載された多くの近似種を *C. costae* のシノニム（同物異名）とし、また、世界各地から新たに採集された標本を *C. costae* として報告してきました。その結果、本種は、熱帯・亜熱帯に広く分布する「コスモポリタン（世界共通種）」とみなされています。属のタイプ種がこんな状態では、属の定義も厳密に定めることができません。本来ならば、新属の創設の前に、*Composetia* 属のタイプ種である *C. costae* のタイプ標本を再検討し、基準となる属の定義を明確にすべきなのです。しかし、著名な二人の専門家によるゴカイ科の総括的論文（Bakken & Wilson 2005）によれば、*C. costae* のタイプ標本は所在不明とされていました。そのため、私は、このタイプ標本はもはや失われてしまったと判断しました。ただし、このような状況でも、クメジマナガレゴカイとトカシキナガレゴカイの場合は、きわめてユニークな特徴が見つかっているので、現状でも新属の創設は可能と考えたのです。

ところが、論文審査の段階で、レフェリー（査読者）の一人であるメキシコの新進気鋭の分類学者、トリオ（Tulio F. Villalobos-Guerrero）さんから驚くべき指摘がありました。「*C. costae* のタイプ標本は、ポーランドのヴロツワフ大学自然史博物館とドイツのベルリン自然史博物館にあるはずだ。新属の創設の前に、その標本を検討し*Composetia*属の定義を明確にすべきだ」。私は、すぐにヴロツワフとベルリンの博物館に連絡し、そのタイプ標本の貸与を依頼しました。それに対するヴロツワフ大学自然史博物館のDr. Jolanta Jurkowskaからの返信はショッキングなものでした。「*C. costae*のタイプ標本（二個体のシンタイプ）は、一九八八年に国外のある研究者に貸与された後、返却されないままとなった」。一方、ベルリン自然史博物館のDr. Birger Neuhausからは、「*C. costae*のタイプ標本（一四個体のシンタイプ）を貸与できる」という嬉しい返信が届き、その標本は、二〇一八年一一月、鹿児島大学の私の研究室に無事到着しました。このタイプ標本の再記載とそれを踏まえた*Composetia*属全体の見直しという大仕事を成し遂げるために、私は、貴重なタイプ標本の情報を教えてくれたトリオさんに協力を求め、彼との共同研究を提案し、快諾してもらいました。

クメジマナガレゴカイとトカシキナガレゴカイについては、新属の創設を当面見送り、とりあえず、*Composetia*属の二新種の記載という形で先に出版することにし、論文原稿を大幅に改訂してから再投稿しました。それが二〇二〇年に出版されたのでした。

そんな中で、幸運にも、トリオさんを鹿児島大学の私の研究室でポスドク研究員として受け入れることができました。メキシコ政府からの助成金が採択され、二〇一九年一一月から二〇二〇年二月までの三ヶ月間、鹿児島大学での共同研究が実現しました。その結果、懸案の *Composetia* 属全体を見直す仕事を仕上げることができました(Villalobos-Guerrero et. al. 印刷中)。私たちは、定石通り、*C. costae* のシンタイプ（複数個体の総模式標本）の中の一個体をレクトタイプ（後模式標本）に指定しました。これによって、*C. costae* の分類学的特徴を明確に定めることができ、また、本種をタイプ種とする *Composetia* 属の定義も明確にすることができました。それに基づいて、これまで本属に帰属されていた他の五〇種の分類を再検討しました。その結果、クメジマナガレゴカイとトカシキナガレゴカイの二種は、晴れて新属に移されたのでした。

この新属の創設は、二度の世界大戦を乗り越えて一八〇年前に採集された古いタイプ標本を守り抜いたヨーロッパの人々に助けられました。一九九一年に渡嘉敷島で珍奇なゴカイを見つけてからの三〇年間の道のりを振り返りつつ、改めて、標本の大切さと分類学研究の面白さをしみじみと感じています。

VII 人間による環境破壊とゴカイ類の絶滅の危機

琉球列島の河川汽水域は、小さな川の下流部の狭い範囲に限られています。そこは、人間活動

図 30　喜界島南岸の人工的に改変された汽水域 (2010 年 3 月撮影). 佐藤 (2016a) より引用 .

の影響を受けやすい場所でもあります。たとえば河口周辺の海域の埋め立てや沿岸道路の建設などに伴う河口周辺の護岸工事などによって、汽水域特有の生き物たちの生息場所は容易に消滅してしまいます（図30）。

河川の上流部での人間活動も汽水域に影響を及ぼします。たとえば、上流での

図 31　与論島前浜における 河口閉塞 (矢印)(2010 年 5 月 17 日撮影).

ダム建設によって河川水が取水されると、汽水域への淡水の供給が減少し、場合によっては「河川閉塞」を引き起こします（図31）。河川閉塞とは、河口の近くで河川水が全て地下に潜ってしまい、河川の出口が砂浜などで塞がれてしまうことで、これによって生物の海と川の行き来が断ち切られてしまいます。

内陸部での森林伐採（図32B）は、表土の流出をもたらし、河川汽水域に赤土を堆積させるでしょう。また、山林の保水力の低下は、多雨期には洪水による被害を増大させ、渇水期には小さな川を干上がらせ、また湧水を枯渇させます。汽水域の生物にとっては、一年を通して安定して淡水が流れていることが必須なので、川が干上がったら生きてゆけませ

図 32　奄美大島の瀬戸内町の嘉徳川の汽水域（A, クメジマナガレゴカイの生息地）とその上流での森林伐採 (B)（2020 年 7 月撮影）.

ん。

このような様々な人間活動によって、琉球列島の河川汽水域は、すでに重大な悪影響を受けていると思われます。このままでは、本書で紹介したゴカイ類の多くが琉球列島から姿を消してしまうかもしれません。私たちが知らないうちに、すでに絶滅している未知の種もいるかもしれません。

私は、たまたまゴカイ類を研究していたから、琉球列島の小さな汽水域のかけがえのない価値に気づくことができました。それと同時に、それらの貴重な場所が人々によっていかに無造作に破壊されているかということも思い知らされました。

二〇一七年七月、私は、研究室の学生と一緒に、徳之島の真瀬名《ませな》川の汽水域で調査を行いました（裏表紙の写真）。ここでは、大きく蛇行する川の汽水域と淡水域の境界付近の約五〇ｍの範囲に限って、両岸にコンクリート護岸がなく、自然環境が奇跡的に残っており、そこでクメジマナガレゴカイを見つけることができました。川の中では多数の魚が群れ、川岸に茂る樹木の梢にはアカショウビンが留まっていました。何という美しさでしょう。クメジマナガレゴカイという存在を知ったことで、この美しさが一層輝いて見えるような気がしました。

VIII　おわりに

本書を執筆するにあたり、鹿児島大学国際島嶼教育研究センターの高宮広土氏には、本書の企画段階から助言と励ましを頂きました。また以下の方々には貴重な写真と情報を提供していただきました。ここに記して感謝の意を表します。佐竹　潔、清本正人、中嶋秀利、江崎幹秀、山田　誠、Bui Tuan Viet、菅孔太朗。

1385–1402.

Tosuji H, Sato M (2010) Genetic evidence for parapatric differentiation of two forms of the brackish-water nereidid polychaete *Hediste atoka*. Plankton and Benthos Research 5 (suppl) : 242–249.

内田紘臣 (1990) ゴカイ類・ミミズ類 . Pp. 19–65.「沖縄海中生物図鑑 第 11 巻」サザンプレス .

Ueno R, Sato M, Yamamoto T (2019) Reproductive season and life span of an estuarine polychaete, *Simplisetia erythraeensis* (Annelida, Nereididae), in southern Japan. Plankton and Benthos Research 14: 71–79.

Villalobos-Guerrero TF, Conde-Vela VM, Sato M (印刷中) Review of *Composetia* Hartmann-Schröder, 1985 (Annelida: Nereididae) , with the establishment of two new similar genera. Journal of Natural History.

Weigert A, Helm C, Meyer M, Nickel B, Arendt D, Hausdorf B, Santos SR, Halanych KM, Purschke G, Bleidorn C, Struck TH (2014) Illuminating the base of the annelid tree using transcriptomics. Molecular Biology and Evolution 31: 1391–1401.

Wu B, Sun R, Yang D (1985) *The Nereidae (polychaetous annelids) of the Chinese coast*. China Ocean Press, Beijing, and Springer-Verlag, Berlin.

山西良平・佐藤正典 (2007) 環形動物門多毛綱 . Pp. 183–193. 飯島明子 (編)「第 7 回自然環境保全基礎調査 浅海域生態系調査 (干潟調査) 業務報告書」環境省自然環境局 生物多様性センター .

Nereididae) in the Ryukyu Islands, southern Japan, with a new record of *Composetia tokashikiensis* from Thailand. Species Diversity 25: 25–38.

佐藤正典・狩野泰則（2016）総論：環形動物の分類学研究．月刊海洋／号外（57）：5–10.

Sato M, Masuda Y (1997) Genetic differentiation in two sibling species of the brackish-water polychaete *Hediste japonica* complex (Nereididae). Marine Biology 130: 163–170.

Sato M, Nakashima A (2003) A review of Asian *Hediste* species complex (Nereididae, Polychaeta) with descriptions of two new species and a redescription of *Hediste japonica* (Izuka, 1908). Zoological Journal of the Linnean Society 137: 403–445.

佐藤正典・坂口 建 (2016) 奄美群島の陸–海境界領域に生息するゴカイ科多毛類．南太平洋海域調査研究報告 (57): 83–85.

田中正敦 (2018) 環形動物 (有鬚動物・ユムシ・星口動物を含む)—誤解されていた系統関係. Pp. 70–71. 日本動物学会 (編)「動物学の百科事典」丸善出版.

田中正敦・佐藤正典 (2019) 奄美群島の海辺に生息する環形動物．Pp. 106–121,125–131. 鹿児島大学生物多様性研究会 (編)「奄美群島の水生生物—山から海へ 生き物たちの繋がり—」南方新社．

Toba Y, Sato M (2013) Filter-feeding behavior of three Asian *Hediste* species（Nereididae, Polychaeta）. Plankton and Benthos Research 8: 159–165.

Tosuji H, Bastrop R, Götting M, Park T, Hong J-S, Sato M (2019) Worldwide molecular phylogeny of common estuarine polychaetes of the genus *Hediste* (Annelida: Nereididae), with special reference to interspecific common haplotypes found in southern Japan. Marine Biodiversity 49:

栗原 康 (1980)「干潟は生きている」岩波書店 .

西田 睦・鹿谷法一・諸喜田茂充 (編)(2003)「琉球列島の陸水生物」東海大学出版会.

太田英利・中村泰之・高橋亮雄 (2015) 南西諸島の爬虫・両生類に見られる多様性・固有性とその保全—近年の研究成果からの警鐘. Pp. 18–27. 日本生態学会 (編)「南西諸島の生物多様性 , その成立と保全」南方新社.

佐藤正典 (2004) 多毛類の多様性と干潟環境：カワゴカイ同胞種群の研究 . 化石 76: 121–132.

佐藤正典 (2012) クメジマナガレゴカイ . P. 223. 日本ベントス学会 (編)「干潟の絶滅危惧動物図鑑—海岸ベントスのレッドデータブック」東海大学出版会 .

佐藤正典 (2016a) サンゴ礁と汽水域の底生動物たち . Pp. 247–253. 鹿児島大学生物多様性研究会 (編)「奄美群島の生物多様性」南方新社 .

佐藤正典 (2016b) 日本のゴカイ科：特に汽水産種の生殖変態について . 月刊海洋／号外 (57): 12–24.

Sato M (2017) Nereididae (Annelida) in Japan, with special reference to life-history differentiation among estuarine species. Pp. 477–512. In: Motokawa M, Kajihara H (eds.) *Species Diversity of Animals in Japan*. Springer Japan, Tokyo.

Sato M (2020) Two new species of *Composetia* (Annelida: Nereididae) from small estuaries in the Ryukyu Islands, southern Japan, with a list of all species currently belonging to *Composetia*. Species Diversity 25: 11–24.

佐藤正典 (2021) 有明海の干潟の生物と人々の暮らし . 鹿児島大学総合研究博物館 News Letter (46) : 1–15.

Sato M, Ebihara T, Satake K, Kojima S, Fukumori H (2020) Distributions and variations of two estuarine species of *Composetia* (Annelida:

IX 参考文献

Bakken T, Wilson RS (2005) Phylogeny of nereidids (Polychaeta, Nereididae) with paragnaths. Zoologica Scripta 34: 507–547.

茶園正明・市川　洋 (2001)「黒潮」春苑堂出版 .

Glasby CJ, Timm T, Muir AI, Gil J (2009) Catalogue of non-marine Polychaeta (Annelida) of the world. Zootaxa 20170: 1–52.

Gravier C, Dantan JL (1932) Sur le «Palolo japonais» [*Tylorrhynchus heterochaetus* (de Quatrefages) = *Tylorrhynchus chinensis* Grube = *Ceratocephale osawai* (Izuka)]. Bulletin du Muséum National d'Histoire Naturelle, Paris. Série 2, 4 (6) : 671–677.

Imajima M (1972) Review of the annelid worms of the family Nereidae of Japan, with descriptions of five new species or subspecies. Bulletin of the National Science Museum 15: 47–153.

今島　実 (1996)「環形動物多毛類」生物研究社 .

菅　孔太朗・佐藤正典 (2018) 奄美群島の汽水・淡水域に生息する *Namalycastis* 属 2 種 (環形動物門ゴカイ科). 南太平洋海域調査研究報告 (59): 85–86.

環境省 (2017) 環境省版海洋生物レッドリスト (https://www.env.go.jp/press/103813.html).

Khlebovich VV (1996) *Fauna of Russia and neighbouring countries. Polychaetous annelids. Volume III. Polychaetes of the family Nereididae of the Russian Seas and the adjacent waters.* Russian Academy of Sciences, Zoological Institute, n.s. no. 140, Nauka Publishing House, St Petersburg (In Russian with English summary).

木村政昭 (2003) 琉球弧の古環境と古地理 . Pp. 17–24. 西田　睦・鹿谷法一・諸喜田茂充（編）「琉球列島の陸水生物」東海大学出版会 .

野田伸一　著
No. 1　**鹿児島の離島のおじゃま虫**
ISBN978-4-89290-030-3　56 頁　定価 700+ 税　(2015.03)

長嶋俊介　著
No. 2　**九州広域列島論**〜ネシアの主人公とタイムカプセルの輝き〜
ISBN978-4-89290-031-0　88 頁　定価 900+ 税　(2015.03)

小林哲夫　著
No. 3　**鹿児島の離島の火山**
ISBN978-4-89290-035-8　66 頁　定価 700+ 税　(2016.03)

鈴木英治ほか　編
No. 4　**生物多様性と保全**—奄美群島を例に—（上）
ISBN978-4-89290-037-2　74 頁　定価 800+ 税　(2016.03)

鈴木英治ほか　編
No. 5　**生物多様性と保全**—奄美群島を例に—（下）
ISBN978-4-89290-038-9　76 頁　定価 800+ 税　(2016.03)

佐藤宏之　著
No. 6　**自然災害と共に生きる**—近世種子島の気候変動と地域社会
ISBN978-4-89290-042-6　92 頁　定価 900+ 税　(2017.03)

森脇　広　著
No. 7　**鹿児島の地形を読む**—島々の海岸段丘
ISBN978-4-89290-043-3　70 頁　定価 800+ 税　(2017.03)

渡辺芳郎　著
No. 8　**近世トカラの物資流通**—陶磁器考古学からのアプローチ—
ISBN978-4-89290-045-7　82 頁　定価 800+ 税　(2018.03)

冨永茂人　著
No. 9　**鹿児島の果樹園芸**—南北六〇〇キロメートルの多様な気象条件下で—
ISBN978-4-89290-046-4　74 頁　定価 700+ 税　(2018.03)

山本宗立　著
No. 10　**唐辛子に旅して**
ISBN978-4-89290-048-8　48 頁　定価 700+ 税　(2019.03)

冨山清升　著
No. 11　**国外外来種の動物としてのアフリカマイマイ**
ISBN978-4-89290-049-5　94 頁　定価 900+ 税　(2019.03)

鈴木廣志　著
No. 12　**エビ・ヤドカリ・カニから鹿児島を見る**
ISBN978-4-89290-051-8　90 頁　定価 900+ 税　(2020.03)

梁川英俊　著
No. 13　**奄美島唄入門**
ISBN978-4-89290-052-5　88 頁　定価 900+ 税　(2020.03)

桑原季雄　著
No. 14　**奄美の文化人類学**
ISBN978-4-89290-056-3　80 頁　定価 800+ 税　(2021.03)

山本宗立・高宮広土　編
No. 15　**魅惑の島々、奄美群島**―歴史・文化編―
ISBN978-4-89290-057-0　60 頁　定価 700+ 税　(2021.03)

山本宗立・高宮広土　編
No. 16　**魅惑の島々、奄美群島**―農業・水産業編―
ISBN978-4-89290-058-7　68 頁　定価 700+ 税　(2021.03)

山本宗立・高宮広土　編
No. 17　**魅惑の島々、奄美群島**―社会経済・教育編―
ISBN978-4-89290-061-7　76 頁　定価 800+ 税　(2021.10)

山本宗立・高宮広土　編
No. 18　**魅惑の島々、奄美群島**―自然編―
ISBN978-4-89290-062-4　98 頁　定価 900+ 税　(2021.10)

〔著者〕

佐藤　正典（さとう　まさのり）

［略　　歴］

1956 年、広島市生まれ。1983 年、東北大学大学院理学研究科生物学専攻博士課程（浅虫臨海実験所所属）修了、同年鹿児島大学理学部助手。助教授、准教授を経て、2009 年、同大学大学院理工学研究科教授。2021 年、同大学定年退職、鹿児島大学名誉教授。専門は、干潟を中心とした河口域および浅海域の底生生物学（特に、ゴカイ類の分類、生態に関する研究）。

［主要著書］

『滅びゆく鹿児島』南方新社、1995 年（共著）
『有明海の生きものたち－干潟・河口域の生物多様性』海游舎、2000 年（編著）
『隼人学』南方新社、2004 年（共著）
『寄生と共生』東海大学出版会、2008 年（共著）
『干潟の絶滅危惧動物図鑑：海岸ベントスのレッドデータブック』
　東海大学出版会、2008 年（共著）
『奇跡の海―瀬戸内海・上関の生物多様性』南方新社、2010 年（共著）
『海をよみがえらせる－諫早湾の再生から考える』岩波書店、2014 年
『いのち輝く有明海を―分断・対立を超えて協働の未来選択へ』
　花乱社、2019 年（共著）
『有明海の干潟の生物と人々の暮らし』鹿児島大学総合研究博物館、2021 年

鹿児島大学島嶼研ブックレット　№20

琉球列島の河川に生息するゴカイ類

2022 年 03 月 20 日 第 1 版第 1 刷発行
〃　年 06 月 30 日　〃　第 2 刷　〃

発行者　鹿児島大学国際島嶼教育研究センター
発行所　北斗書房
〒132-0024　東京都江戸川区一之江 8 の 3 の 2（MM ビル）
電話 03-3674-5241　FAX03-3674-5244
URL　http//www.gyokyo.co.jp

定価は表紙に表示してあります

ISBN978-4-89290-065-5 C0039